Hauptweg und Nebenwege
Erinnerungen eines Kunstsammlers

HEINZ BERGGRUEN

Hauptweg und Nebenwege„

Erinnerungen
eines Kunstsammlers

NICOLAI

Inhalt

Für
Bettina,
John und Helen,
Nicolas und Olivier

*Eines Tages fragte ich mich, was ich wohl tun könnte.
Ich beobachtete in mir Zeichen der Ungeduld und
stellte fest, daß mein Unbeschäftigtsein meine
natürliche Laune verschlechterte. Picasso, welcher der
Neigung seines Charakters entsprechend Probleme,
selbst die schwerwiegendsten, durch Arbeitstherapie
zu lösen wußte, hielt mich an, seinem Beispiel zu
folgen. Aber wie, fragte ich mich, wie? Durch was für
eine Tätigkeit?*

*»Schreibe, mon cher, schreibe! Ganz egal was«,
sagte er,»schreibe für dich, solange es dir gefällt, auch
wenn es nur für dich ist, aber schreibe…«*

JAIME SABARTÉS,
*Begleiter, Sekretär und Biograph
Picassos, in der Einleitung seines
1946 in Paris erschienenen Buches
»Picasso – Portraits & Souvenirs«.*

Vorwort

Hauptweg und Nebenwege gehört zu den schönsten Gemälden von Paul Klee. Viele Jahre war es im Besitz einer rheinländischen Privatsammlung, jetzt hängt es im Museum Ludwig in Köln. Es ist ein mittelgroßes Tafelbild (83,7 × 67,5 cm) von 1929, aus der späten Bauhausperiode des Künstlers. Die Elemente, die Paul Klee als einen der bedeutendsten Maler des 20. Jahrhunderts ausweisen, sind in diesem Bild enthalten. Es ist ein weises, verklärtes Werk, ein magisches Topogramm, das die Verästelungen des Lebens mit größter Akribie und Sensibilität nachzeichnet.

Klee gehört neben Kandinsky zu den wenigen Malern, die ihren Bildern immer eigene Titel gaben. Diese Titel sind nie banal oder zufällig, seine Bilder heißen nie Frauenakt oder Landschaft im Süden oder Blaues Stilleben. In wenigen begnadeten Worten faßt Klee zusammen, was den Inhalt des Werkes ausmacht: Eine Formulierung wie *Hauptweg und Nebenwege* enthält alles, was er mit diesem Bild vermitteln will.

Schon als junger Mensch habe ich Klee geliebt. Er war der erste Maler, dessen Gesamtwerk mich intensiv beschäftigte und von dem ich sagen kann, daß er einen entscheidenden Einfluß auf meine Entwicklung als Sammler und Händler ausübte. Wenn ich, gewissermaßen als Huldigung an Klee, für das vorliegende Erinnerungsbuch den Titel eines seiner Bilder verwende, dann allerdings nicht nur, weil ich Klee verehre, sondern weil ich *Hauptweg und Nebenwege* als Chiffre empfinde, als knappsten Ausdruck für das, was ich zu erzählen beabsichtige.

Ich möchte von dem Hauptweg berichten, der mich während sechs Jahrzehnten durch die Welt der Kunst ge-

führt hat, aber ich will auch von den zahlreichen Nebenwegen erzählen wie auch von den Umwegen, die mich nach
allen Seiten hin fortlockten, um am Ende doch zum Hauptweg der modernen Kunst zurückzuführen.

Was ist überhaupt moderne Kunst? Man hat mir gelegentlich vorgeworfen, daß ich mich nie recht für zeitge-
nössische und im besonderen für experimentelle Kunst
interessiert habe, sondern eigentlich immer nur für die
klassische Kunst unseres Jahrhunderts. Aber ist die Kunst,
die wir auf dem Hauptweg antreffen, nicht immer die klassische?

Auf dem Gebiet der Kunst verirrt man sich schnell.
Auch ich hätte mich leicht verlaufen können. Ein innerer
Kompaß scheint notwendig, um immer wieder zum Hauptweg zurückzugelangen. Ich werde von einer glücklichen
Kindheit und Jugend in Berlin berichten, von dem Unglück,
die Heimat verlassen zu müssen, die mir von den Rohlingen
in braunen Hemden gestohlen wurde, von meinem Bemühen, mich in den USA einzugewöhnen, von meiner Rückkehr nach Europa als amerikanischer Soldat, von meiner
journalistischen Tätigkeit in München (endlich wieder in
der Muttersprache!), von bescheidenen Anfängen als
Kunsthändler in Paris, von erfolgreichen Ausstellungen
und von einer Sammlung, die mit den Jahren immer reicher wurde. Von all dem will ich erzählen.

Hauptweg und Nebenwege: Ich danke Klee für diesen
schönen Titel. Und ich danke dem Schicksal, daß es mir
gestattet hat, trotz aller Umwege und Nebenwege den
Hauptweg zu gehen, der mich über die Jahre durch eine Bildergalerie mit einigen der herrlichsten Werke der modernen Kunst geführt hat.

I
Die Reise nach Berlin

Wieder deutscher Staatsbürger

Herbst 1973. Eine längere Sommerausstellung in meiner Pariser Galerie mit Werken der vier großen Kubisten Braque, Picasso, Léger und Gris war gerade zu Ende gegangen. Mit Hilfe meines Freundes, des Kunsthistorikers Douglas Cooper, organisiert, hatte die Ausstellung, die sich auf zwei Dutzend Hauptwerke konzentrierte, ein starkes Echo gefunden.

Um diese Zeit faßte ich nach langen Überlegungen den Entschluß, meine amerikanische Staatsbürgerschaft aufzugeben und wieder die deutsche Nationalität anzunehmen. Mein Ideal war zwar ein anderes: ein föderales Europa, zu dem jedes Land der Alten Welt mit seiner besonderen Kultur und Tradition beitragen würde, ein Europa, das mir die Möglichkeit eröffnet hätte, einen europäischen Paß zu erwerben. Aber da dieses Europa damals in weiter Ferne lag, mußte ich eine Entscheidung treffen.

Ich hatte mich niemals als Amerikaner gefühlt, und ich hatte nicht das Bedürfnis, nach Amerika zurückzugehen. Ich fühlte mich als Europäer. Obwohl es mir in Paris gutging, sah ich nicht ein, warum ich mich um einen französischen Paß bemühen sollte. Es erschien mir viel sinnvoller, die Nationalität wieder zu erwerben, die mir ein barbarisches Regime ein halbes Menschenalter zuvor weggenommen hatte. Durch Sprache, Literatur, Geschichte und durch die deutsche Landschaft habe ich Bindungen an meine Heimat, die kein »Tausendjähriges Reich« je zerstören konnte.

In meiner Vorstellung war es reine Routine, die amerikanische Nationalität aufzugeben. Den deutschen Paß zurückzuerlangen, den ich 1936 verloren hatte, würde angesichts der bekannten Gründlichkeit deutscher Behörden dagegen wohl mit gewissen Schwierigkeiten verbunden sein. So dachte ich. Das Gegenteil war der Fall. Ich ging zum Konsulat der Bundesrepublik in Paris, füllte ein Formular aus, legte eine beglaubigte Kopie meiner Geburtsurkunde und vier Paßphotos bei, und nach zehn Tagen erhielt ich einen deutschen Paß. Ich war wieder Deutscher.

Ganz anders erging es mir bei den Amerikanern. Als ich in der Botschaft am Place de la Concorde erklärte, ich wolle meine amerikanische Nationalität aufgeben, sah mich die Beamtin mit großen Augen an. Ob ich mir im klaren darüber sei, was das bedeute? Ob ich wisse, daß Tausende, nein Zehntausende Menschen auf der ganzen Welt sich täglich bemühten, die amerikanische Staatsbürgerschaft zu erlangen? Und die wolle ich so leichtfertig aufgeben? Nein, so einfach ginge das nicht. Höflich, aber energisch bemühte sich die Dame, mich von den dramatischen Konsequenzen eines solchen Schrittes zu überzeugen. Am Ende gab sie mir einen Termin, zwei Wochen später. Ich müßte mir Zeit lassen und noch einmal gründlich über meine Absicht nachdenken. Sollte ich auf meinem Wunsch beharren, wäre ich verpflichtet, einen schriftlichen Antrag auf Ausbürgerung zu stellen, mit einer genauen Begründung meines Gesuches.

»Ich hoffe, Sie haben sich alles gründlich überlegt«, sagte die Dame, als sie mich nach vierzehn Tagen wieder empfing.

»Das habe ich.«

»Und Sie haben, hoffe ich, Ihre Entscheidung verworfen.«

»Nein, das habe ich nicht.«

Ich hatte das Gefühl, nicht in einer Botschaft, sondern im Sprechzimmer einer Psychotherapeutin zu sitzen, die mich auf den rechten Weg bringen wollte.

Ich übergab der Dame das von mir ausgefüllte Formular – Nationalitätsverzicht, *renunciation of nationality*, in der offiziellen Sprache – zusammen mit einer handschriftlichen Erklärung, in der ich meinen Entschluß begründete.

»Ich habe beschlossen«, schrieb ich, »auf meine amerikanische Staatsbürgerschaft, durch Naturalisierung erworben, zu verzichten, da ich, ehrenhaft (*honorably*) aus der Armee der Vereinigten Staaten entlassen, 1944 nach Europa zurückgekehrt bin, wo ich seither meinen ständigen Wohnsitz habe.« Ich fügte an, daß auch meine Frau aus Europa stammte, daß meine beiden Kinder aus zweiter Ehe in Europa geboren waren und daß alle meine Wurzeln hier, in der Alten Welt, lagen.

Nach amerikanischem Brauch mußte ich aufstehen, meinen rechten Arm erheben und schwören, daß alles, was ich geschrieben hatte, der Wahrheit entsprach. Die Vertreterin der Botschaft, noch ernster und nachdenklicher als bei meinem ersten Besuch, erklärte, daß mein Antrag »zur Bearbeitung« nach Washington ins State Department geschickt werde. Die Entscheidung falle in einigen Monaten. Nach einem Vierteljahr kam dann der Bescheid: Meinem Antrag entsprechend sei ich nun nicht mehr Amerikaner.

Kurze Zeit nach meiner Ausbürgerung stellte ich in dem gleichen Gebäude in Paris den Antrag auf ein Besuchsvisum. Dieser Antrag wurde problemlos genehmigt. Von da an reiste ich regelmäßig, oft von meiner Frau begleitet, nach Amerika. 1982 nahmen wir eine Wohnung in New York, wo wir bis 1988 jedes Jahr mehrere Monate verbrachten. Unsere Wohnung lag *uptown* Manhattan, in der 23. Etage des Carlyle Hotel, mit Blick über den Central Park und die Westside von Manhattan; bei klarem Wetter konnte man bis zum Hudson schauen.

Meine Gefühle gegenüber Amerika hatten sich radikal verändert, seit ich als junger Mann Ende 1936 nach Kalifornien gekommen war. Damals war ich unzufrieden mit mir und voller Ressentiments. Plötzlich heimatlos geworden, empfand ich vor allem Unsicherheit in diesem riesigen Land, das mir so gesichtslos erschien. Aus Selbstschutz eignete ich mir schon kurz nach meiner Ankunft eine übertrieben kritische Haltung zu allem »Yankeehaften« an und wirkte möglicherweise ziemlich blasiert.

Die Veränderung meiner Einstellung in den achtziger Jahren war wohl darauf zurückzuführen, daß ich jetzt in meinem Beruf Erfolg hatte und daß man mich aufgrund meiner Kenntnisse respektierte. Neben der materiellen Sicherheit – die in Amerika Bedingung jedes gesellschaftlichen Ansehens ist – gewann ich allmählich auch jene innere Sicherheit, die mich den amerikanischen *way of life* mit großer Gelassenheit und Toleranz beobachten ließ. Mit der Zeit schwanden meine Ressentiments. Ich fand Amerika und insbesondere New York stimulierend, die Menschen empfand ich als aufgeschlossen, aktiv und dem Leben zugewandt. Die pragmatische Einstellung vieler Amerikaner beeindruckte mich.

Es mag paradox erscheinen, aber die Tatsache, daß ich mich heute nicht mehr als amerikanischer Staatsbürger, sondern als Ausländer in diesem Land bewege, trägt dazu bei, mein Verständnis für die amerikanische Szene noch zu vertiefen. Wer sich den Gepflogenheiten eines Landes nicht wirklich zugehörig fühlt, aber mit Lust und Interesse die Eigenart des Fremden verfolgt, erlangt einen Grad der Wahrnehmung und eine Vertrautheit im Umgang mit der Kultur des anderen, die ich zu den wertvollsten Erfahrungen meines Lebens zählen möchte.

Paul Klee im Metropolitan Museum

Anfang der achtziger Jahre trug ich mich mit Plänen, meine private Klee-Sammlung, die neunzig Werke umfaßte (Ölbilder, Gouachen, Aquarelle und Zeichnungen) und die ich unbedingt als Einheit zusammenhalten wollte, einem großen Museum zu überlassen. Meine Sammlung reichte von den frühesten Zeichnungen und Skizzen – das erste Blatt stammte von 1893, als Klee ganze vierzehn Jahre alt war – bis zu den späten Arbeiten von 1939 und 1940, dem Todesjahr des Künstlers, und bot einen einmaligen Überblick über das Werk des großen Berner Malers.

Ich dachte schon früh an das Metropolitan Museum of Art, das ganz in der Nähe unserer Wohnung lag. Der Gedanke, dort meine Klees unterzubringen, reizte mich sehr. Nicht nur der Reichtum der Gemälde und Plastiken des Metropolitan beeindruckte mich, sondern auch die ungewöhnlich großzügige und souveräne Weise, Kunst zu zeigen. Nie hatte ich frappierendere Präsentationen als etwa die der großartigen primitiven Skulpturen im Rockefeller Wing des Museums gesehen.

Um diese Zeit plante das Metropolitan einen neuen Flügel, der exklusiv der modernen Kunst gewidmet sein sollte.

Kritische Stimmen wurden laut: Es gebe das Museum of Modern Art, es gebe das Guggenheim Museum mit der bedeutenden Schenkung von Justin Thannhauser, es gebe das Whitney Museum, das ausschließlich amerikanische Kunst der Moderne zeige – wozu brauche New York ein weiteres Museum für moderne Kunst? Die Antwort war, daß das Met, wie das Museum landläufig genannt wird, enzyklopädisch die Kunst der Welt, und nicht nur der westlichen, in all ihrer Vielfalt in hervorragenden Beispielen vereinigt. Durch frühere Schenkungen war eine Reihe wichtiger Gemälde der klassischen Moderne, wie Picassos Porträt von Gertrude Stein aus dem Jahre 1905, in den Besitz des Museums gelangt, und es schien mir konsequent, in einem Anbau diese Linie der modernen Kunst fortzuführen.

Durch zahlreiche, von mir seit 1952 in Paris veranstaltete Klee-Ausstellungen wußte ich, daß die Amerikaner ein starkes Interesse an diesem Maler hatten. Konnte man nicht versuchen, an einem Ort, der ein so hohes Ansehen wie das Metropolitan Museum genoß, eine Art Klee-Zentrum zu schaffen? Ich sprach darüber mit William Lieberman, dem *Chairman* der modernen Abteilung, sowie mit Philippe de Montebello, dem brillanten Direktor des Met.

Beide waren begeistert von der Idee, mit einem Schlag das Gesamtwerk eines großen Malers unserer Zeit in erstklassigen Arbeiten aus allen Schaffensperioden erwerben und in dem neuen Flügel der Öffentlichkeit vorstellen zu können. Auch ich war mit dieser Lösung überaus glücklich: Es war, als habe der Zauberstab des Magiers Klee ein letztes Wunder vollbracht.

Mit Verve arbeitete man an den Vorbereitungen für die Ausstellung meiner Schenkung. Bei der feierlichen Eröffnung im Frühjahr 1988 herrschte Hochstimmung, die Atmosphäre hätte nicht beschwingter sein können. Drei Hauptsäle des Neubaus waren bereitgestellt worden, um die neunzig Klees in ihrer Gesamtheit zu zeigen. Ich war glücklich und zufrieden. Ich schien die richtige Entscheidung getroffen zu haben. Man dankte mir für meine Großzügigkeit. Die Presse, allen voran die *New York Times*, sang uneingeschränkt das Hohelied meiner Stiftung. Doch die Enttäuschung sollte mir nicht erspart bleiben. Die Exklusivität der Eröffnungsausstellung und die Aufwendigkeit der Präsentation erwiesen sich schon bald als eine kurze Freude. Als permanenten Standort der Klee-Sammlung hatte ich mir eine Reihe ineinander übergehender kleiner Kabinette vorgestellt, die in ihrer Intimität und Wärme einen reizvollen Rahmen für das lyrisch versponnene Werk von Klee ausstrahlen würden, ähnlich etwa wie die schöne Klee-Sammlung im Sprengel-Museum in Hannover.

Doch es kam anders. Die Bilder wanderten in ein Zwischengeschoß, einen atmosphärelosen, weißgetünchten, rechteckigen Raum, der in seiner Kälte und Farblosigkeit den denkbar größten Kontrast zum Charme der Werke meiner Sammlung bildete. Klee war in eine Art Bunker verbannt. Von Besuchern des Metropolitan, die sich für Klee interessieren, höre ich immer wieder, wie enttäuscht sie gewesen seien, daß entweder der Klee-Raum wegen »Personalmangel« vorübergehend geschlossen oder aber nur ein Bruchteil der Werke aus dem umfangreichen Bestand ausgestellt war.

Das einzige, was mich nach der Ernüchterung einigermaßen versöhnte, war der mit großer Sorgfalt erstellte und einfühlsam geschriebene Katalog, den das Museum seiner kompetenten Kuratorin Sabine Rewald verdankte. In der weitläufigen Klee-Literatur nimmt dieser mehr als dreihundert Seiten umfassende Bildband, der einen Reichtum an Dokumenten enthält und hervorragend illustriert ist, zweifellos eine Sonderstellung ein.

Eine Ausstellung in Genf

Nachdem ich mich, möglicherweise voreilig, von meinen Klees getrennt hatte, ergab sich die Frage, was mit dem »Rest« der Sammlung geschehen sollte. Der »Rest« der Sammlung war in Wirklichkeit das Gros dessen, was ich über die Jahre hinweg behalten hatte: Skulpturen von Giacometti, Arbeiten von Miró, Gemälde und Zeichnungen von Cézanne und Seurat, vor allem aber Werke von Matisse und Picasso. Nach den Erfahrungen mit dem Metropolitan Museum dachte ich an keine weitere Schenkung, aber ich wollte auch vermeiden, daß ein Teil der Bestände in einem Lagerhaus verschwände. Es war mein Anliegen, einen Ort zu finden, der die Sammlung geschlossen der Öffentlichkeit zugänglich machte.

Als meine Absicht Mitte der achtziger Jahre bekannt wurde, machte man mir eine Reihe verlockender Angebote. Lothar Späth, der damalige Ministerpräsident von Baden-Württemberg, ließ mich wissen, daß ein Teil von Schloß Ludwigsburg in der Nähe von Stuttgart zur Präsentation meiner Sammlung zur Verfügung stünde. Das Centro de Arte Reina Sofía in Madrid machte mir ebenfalls eine attraktive Offerte. Wieder andere meldeten sich mit kuriosen Vorschlägen, aber keine der Avancen konnte mich zufriedenstellen.

Einige Jahre zuvor hatten meine Frau und ich eine Chalet-Wohnung in Gstaad im Berner Oberland erworben. Wäre die neutrale Schweiz, so fragten wir uns, nicht das rechte Umfeld, das unseren Vorstellungen vom Verbleib der Sammlung am ehesten gerecht werden konnte? Genf, nur zwei Autostunden von Gstaad entfernt, schien der geeignete Ort zu sein. Zürich und Basel, aber auch die Hauptstadt Bern waren mit bildender Kunst reichlich versehen, dagegen sah man in den öffentlichen Sammlungen von Genf nur wenige Werke, wie ich sie besaß. Die Leitung des Genfer Musée d'art et d'histoire reagierte positiv, ohne freilich eine besondere Begeisterung an den Tag zu legen. Man habe nur ein sehr bescheidenes Budget, und für einen illustrierten Katalog fehlten sämtliche Mittel. Nach kurzen Verhandlungen einigten wir uns auf eine dreimonatige Ausstellung im Sommer 1988, die möglicherweise verlängert werden konnte.

Genf, so hörte ich von verschiedenen Seiten, sei vom Calvinismus geprägt und im Grunde eine amusische Stadt. Die Genfer seien zwar an Musik interessiert, man schätze vor allem die Aktivitäten der Oper, aber zur modernen Kunst habe man keine rechte Beziehung. Dennoch ließ ich mich auf die Sache ein, unterstützt von Simon de Pury, dem dynamischen Leiter des Schweizer Büros von Sotheby's. De Pury, Schweizer, aber kein Genfer, war begeistert von meiner Sammlung und setzte sich in großzügiger Weise mit Rat und Tat für meine Pläne ein. Ihm verdanke ich, daß der Kunstbuchverlag Electa in Mailand zur Ausstellung einen hervorragend ausgestatteten Katalog publizierte.

Die Ausstellung selbst war kein Publikumserfolg. In knapp vier Monaten zog sie etwa dreißigtausend Besucher an. Drei Jahre später kamen über fünfhunderttausend

Menschen zur Ausstellung in der National Gallery in London, wo fast die gleichen Bilder zu sehen waren.

Zur Eröffnung, atmosphärisch leicht unterkühlt, hielt der Direktor eine freundliche konventionelle Rede, in der er die Signacs meiner Sammlung besonders hervorhob. Ich besitze keinen einzigen Signac. Er meinte wohl meine Seurats.

Was mich persönlich berührte und wofür ich dem Genfer Museum trotz aller Einschränkungen dankbar bin, war die Tatsache, daß meine Familie, meine Freunde und auch ich selbst zum ersten Mal die Sammlung in ihrer Geschlossenheit sehen konnten. So hatte ich die Möglichkeit, mir ein Bild von ihrem tatsächlichen Umfang zu machen, zu erkennen, wo die Akzente und die Höhepunkte lagen, aber auch Schwächen festzustellen und Desiderata auszumachen.

Neue Freunde in London

Die Genfer Ausstellung ging, ziemlich sang- und klanglos, im Oktober 1988 zu Ende. Über Olivier, meinen jüngsten Sohn, der im englischen Kunsthandel tätig ist – er ist auf Zeichnungen und Aquarelle des späten 19. und 20. Jahrhunderts spezialisiert –, bahnte sich damals eine interessante Beziehung zur National Gallery in London an. Als häufiger und interessierter Besucher dieses Museums, das neben dem Louvre, dem Prado und der Eremitage die umfassendste Sammlung europäischer Malerei besitzt, hatte sich Olivier mit John Leighton angefreundet, dem Konservator der Abteilung für Kunst des 19. Jahrhunderts. Die National Gallery, meinte Olivier, wäre sicher interessiert, meine Sammlung auszustellen. Ich war skeptisch, denn ich konnte mir nicht vorstellen, daß meine Kollektion für diese prominente Adresse wichtig genug war. Die Gespräche mit Lord Rothschild, dem Chairman der Trustees, und Neil MacGregor, dem Direktor des Museums, verliefen jedoch außerordentlich positiv, und schon bald kam ein fünfjähriger Leihvertrag zustande.

In den ersten drei Monaten sollten meine Bilder und Skulpturen geschlossen in drei großen, miteinander verbundenen und für diesen Zweck eigens renovierten Sälen gezeigt werden. Danach plante man, meine Sammlung in die Bestände des Museums zu integrieren. Dies bedeutete unter anderem, daß die Seurats, die ich besaß, darunter die *Poseuses* und der *Kanal von Gravelines* aus der ehemaligen Courtauld-Sammlung, an den gleichen Wänden, in unmittelbarer Nachbarschaft mit Seurats *Badenden* zu sehen sein würden.

Das Ganze ließ sich sehr gut an. Die Ausstellung wurde sorgfältig vorbereitet. Kurz vor der Eröffnung erschienen ausführliche Artikel in den führenden englischen Zeitungen, und die Eröffnung selbst war ein gesellschaftliches Ereignis von Rang, bei dem der Direktor eine zündende Rede hielt. Der Ruhm der National Gallery, so führte er aus, beruhe auf der Qualität und Reichhaltigkeit der Werke alter Meister. Wenn jetzt für fünf Jahre Picasso mit mehr als vierzig Bildern hinzukomme, so habe das schon deshalb seine Berechtigung, weil Picasso inzwischen auch zu den *old masters* gehöre.

Die Zusammenarbeit mit der National Gallery gestaltete sich harmonisch. Es gab regelmäßige Anfragen anderer Kunstinstitutionen nach Leihgaben, Verleger und Kunsthistoriker baten um Photomaterial. Alle diesbezüglichen Entscheidungen wurden von der National Gallery und mir gemeinsam getroffen. Taktvoll ging man auf meine Meinung und meine Wünsche ein; ich meinerseits war beeindruckt von dem Engagement, mit dem die neuen Freunde, allen voran Neil MacGregor und John Leighton, sich meiner Sammlung annahmen. Was mich in den ersten Monaten am meisten überraschte, war der Publikumsandrang in den Sälen, die meine Bilder enthielten. Das Sammeln erschien mir sinnvoll wie nie zuvor. Mir völlig unbekannte Menschen, oft aus der Provinz, schrieben mir Briefe und dankten mir, daß ich ihnen die Möglichkeit gegeben hatte, meine Bilder zu sehen. Für viele waren die Zeichnungen Seurats der Höhepunkt der Ausstellung. Manche Besucher hatten wahrscheinlich niemals zuvor solche Blätter im Original gesehen und standen nun ganz im Bann dieser seltenen, dichten Arbeiten.

Ankunft in Charlottenburg

An der Eröffnung der Ausstellung am 15. Januar 1991 – zwei Tage vor Beginn des Golfkriegs – nahm auch der Generaldirektor der Staatlichen Museen Preußischer Kulturbesitz zu Berlin, Wolf-Dieter Dube, teil. Ich kannte ihn flüchtig. Wenig später fuhr ich nach Berlin zur Vernissage der von Heiner Bastian und Werner Spies realisierten Ausstellung *Picasso nach Guernica*, zu der ich eine Reihe von Bildern beigetragen hatte. Wieder begegnete ich Professor Dube, der meiner Frau und mir eine Führung durch die verschiedenen, weit über Berlin verstreuten Museen gab, von der Museumsinsel über das Charlottenburger Schloß bis zur Gemäldegalerie in Dahlem. Er lud mich zu einem weiteren Besuch nach Berlin ein.

Diesmal – auf Grund einer gewissen Naivität meinerseits dauerte es recht lange, bis ich Professor Dubes Absichten erkannte – fragte er mich unumwunden, ob ich nicht Lust hätte, meine Sammlung in Berlin zu zeigen. Heute, in der Rückschau, möchte ich mit Nachdruck sagen, daß es der Initiative von Wolf-Dieter Dube zu verdanken war, daß es schließlich zur Ausführung dieses Planes kam. Professor Dube wußte, daß Berlin meine Heimatstadt ist, und er spürte, daß mich das Projekt um so mehr reizen würde, je großzügiger der Rahmen wäre, den er mir bieten konnte.

Und dafür sorgte er. Gegenüber dem Charlottenburger Schloß liegen die beiden Stülerbauten aus der Mitte des 19. Jahrhunderts, die ursprünglich als Gardes-du-Corps-Kasernen gedient hatten und in jüngster Zeit das Ägyptische Museum wie auch die Antikensammlung beherbergten. Im Rahmen der Neuorganisation der Berliner Museen nach der Wiedervereinigung sollte die Antikensammlung auf die Museumsinsel umsiedeln. Dadurch wurde der westliche Stülerbau für die Präsentation meiner Bilder und Skulpturen frei.

Von Anfang an war ich von dieser Idee begeistert. Ich empfinde den Stülerbau in seiner klassizistischen Strenge und seinen klaren Proportionen als geradezu maßgeschneidert für meine Sammlung. Was mich aber am meisten fasziniert, ist die Intimität der Räume. Über drei Stockwerke verteilt, gehen diese Räume harmonisch ineinander über; der Geschlossenheit meiner Sammlung verleihen sie den Rahmen, der ihrem Charakter entspricht. Es sind Räume mit menschlichen Maßen.

Nach der Zustimmung sowohl des Präsidenten der Stiftung Preußischer Kulturbesitz, Professor Werner Knopp, als auch des Senators für kulturelle Angelegenheiten einigten wir uns auf eine Dauerleihgabe von zunächst zehn Jahren. Unter dem Titel *Picasso und seine Zeit* sollen, neben Werken der großen Vorläufer Cézanne und van Gogh, Bilder von Braque und Klee sowie Skulpturen von Giacometti, aber auch »primitive« Kunst, im ganzen über hundert Werke gezeigt werden. Im Mittelpunkt steht natürlich Picasso selbst, der mit fast siebzig Arbeiten vertreten ist.

Berlin ist rührig wie einst in jener Zeit, als ich hier aufwuchs. Auf der Prachtstraße Unter den Linden wird das Hotel Adlon wieder aufgebaut, wenige Schritte weiter die amerikanische Botschaft. Die Regierung kommt aus der Provinz in die Hauptstadt zurück. Berlin wird wieder Weltstadt, Vermittlerin zwischen Ost und West. Es erfüllt mich mit großer Freude, daß meine Sammlung klassischer Moderne im westlichen Stülerbau gegenüber dem Charlottenburger Schloß einen schöpferischen Beitrag leisten kann, den Ruf Berlins auch als Kulturmetropole zu rechtfertigen.

Auf den Haupt- und Nebenwegen des Sammelns führten die Spuren zurück zu meinen Anfängen, ins Berlin meiner Kindheit und Jugend. Dies erscheint mir als glückliche Fügung. Ich verstehe diesen Schritt aber auch als ein Zeichen der Versöhnung, als einen Beitrag zur Anerkennung und Bestätigung eines wieder in die Völkergemeinschaft integrierten, friedfertigen und demokratischen Staates.

Bei seinem Besuch in Deutschland Anfang 1996 sagte der israelische Staatspräsident Ezer Weizman, es sei ihm unbegreiflich, daß Juden nach dem Holocaust weiterhin in Deutschland leben können. Mit dieser Aussage komme ich nicht zurecht. Vergißt Weizman, daß seit der Zerstörung des Dritten Reiches über fünfzig Jahre vergangen sind, über fünfzig Jahre, in denen, von vereinzelten Ausschreitungen am Rande abgesehen, Deutschland zur Normalität demokratischen Lebens gefunden hat?

Einsicht und Toleranz gehören traditionsgemäß zu den jüdischen Grundtugenden. Kann man, trotz allem Grauen von zwölf schwarzen Jahren, einem Land den Rücken kehren, dem man Dürer und Goethe, Beethoven und Brahms, Benn und Beckmann verdankt? Nein, ich stimme mit Ezer Weizman nicht überein. Mein Verhältnis zu Deutschland war immer ein anderes.

Mein Freund, Ernst Stiefel, dem kürzlich in Konstanz von Außenminister Klaus Kinkel die Ehrendoktorwürde verliehen wurde, sagte in seiner Dankesrede: »Man kann einen Menschen aus der Heimat vertreiben, aber nicht die Heimat aus dem Menschen.« Heimat seien »Töne, Gerüche und Gerichte, das Pfeifen einer Lokomotive. Heimat ist eine Glücksvokabel; es ist ein zartes Pflänzchen. Es ist überstrapaziert auf Stickkissen, in Blasmusik, Vereinsmeierei und Denkmalsinschriften, eignet sich aber nicht für Holocaust-Mahnmale«.

Mit zweiundzwanzig Jahren bin ich aus Berlin fortgegangen, in eine ungewisse Zukunft. Als Zweiundachtzigjähriger bin ich wieder da. Und das ist gut so.

II
Jugendjahre

Der Mann mit dem Goldhelm

Ich will da zu erzählen beginnen, wo meine Anfänge liegen, in Berlin, und chronologisch, Schritt für Schritt, berichten, wie sich in meinen ersten Lebensjahren eines zum anderen gefügt hat.

Geboren wurde ich ein paar Monate vor Ausbruch des Ersten Weltkrieges, am 6. Januar 1914. Das war, wie man schon in den zwanziger Jahren sagte, die gute alte Zeit, und heute, wo wir am Ende des Jahrhunderts stehen, erscheint uns manches geradezu verklärt. Einen ersten Rückblick auf meine eigene Kindheit verfaßte ich 1935, in einem Alter, in dem man normalerweise noch keine Erinnerungen zu schreiben pflegt. Für die *Frankfurter Zeitung* schrieb ich damals gelegentlich Essays über das Leben in der Hauptstadt, in denen es um den ungeheuren Abstand ging, der das Berlin der dreißiger Jahre vom Berlin des Kaiserreichs trennte. In nur zwanzig Jahren hatte sich das Gesicht der Stadt in einer Weise verändert, die einem den Atem stocken ließ.

Wurde ich als Kind gefragt, wo ich herkäme, sagte ich nicht, aus Berlin, sondern antwortete: aus Wilmersdorf, und das war nicht etwa Ausdruck von Snobismus oder kindlichem Trotz, sondern entsprach den städtischen Realitäten vor 1914. »Wilmersdorf war wirklich beinahe noch ein Dorf«, schrieb ich 1935 in der *Frankfurter Zeitung*,

Dort wo jetzt Neubauten in langen Reihen stehen, waren weite, freie Plätze, und die Häuser bildeten eigentlich nur die Ausnahmen. Die Straßen waren teilweise noch nicht gepflastert, und von den städtischen Errungenschaften wie Kinos, Konditoreien und so weiter konnte man in Wilmersdorf nichts merken. Eine Fahrt in die »Stadt«, etwa zum Leipziger Platz, wo meine Mutter mir die Anzüge kaufte, bedeutete eine Reise wie nach Potsdam. Es war ein Ereignis, von dem schon drei Tage vorher ununterbrochen gesprochen wurde. Öfter als vier-fünfmal kam es im ganzen Jahr nicht vor. Es bot sich kaum Gelegenheit. Unsere Verwandten wohnten sämtlich außerhalb Berlins, die Freunde im gleichen Bezirk. Erst als ich größer wurde und gelegentlich mal eine Besorgung für meinen Vater zu machen hatte, häuften sich die »Reisen in die Stadt«. Aber deshalb empfand ich Berlin noch immer als etwas Fremdes. Meine eigentliche Heimat blieb Wilmersdorf. Hier kenne ich so ziemlich jedes Haus, jede Straße, jeden Platz. Im Preußenpark haben wir uns mit den Jungen der Nebenklasse herumgeprügelt, und auf dem Fehrbelliner Platz, wo alljährlich einmal Zirkus Krone seine Zelte aufstellte, sah ich zum ersten Mal Löwenbändiger, Seiltänzer und Jongleure. Manche Bezirke in Berlin haben farblose Bezeichnungen. Sie heißen SW oder NO 56. Ich bin froh, daß unser Bezirk einen richtigen Ortsnamen hat: Wilmersdorf.

Meine Eltern kamen aus dem damaligen Westpreußen. Dort, genau gesagt, in Bromberg, lebten auch meine Großeltern, bei denen ich oft zu Besuch war. Sie hatten ein Lederwarengeschäft in der Friedrichstraße – wie in jeder guten preußischen Stadt gab es auch in Bromberg eine Friedrich-

Das Haus, in dem ich geboren wurde: Konstanzer Straße 54

straße – und wohnten über den Geschäftsräumen. Überall
roch es herrlich nach Gegerbtem, und noch heute, achtzig
Jahre später, habe ich, wenn ich die Augen schließe, diesen
wunderbaren Schäfteduft in der Nase. Von den Großeltern
wurde ich verwöhnt wie nie in Berlin, und auch während
der Kriegszeit, als Nahrungsmittel knapp waren, gab es in
Bromberg immer herrlich zu essen. Am meisten liebte ich
eingemachtes Kompott, das war viel aufregender als nor-
males Obst.

In Berlin aber wuchs ich auf. Mein Vater hatte ein
Schreibwarengeschäft, in dem es alles gab: *papiers de luxe,*
Füllfederhalter, Glückwunschkarten. Ich erinnere mich,
daß Montblanc sich gerade als neue Firma etabliert hatte
und mein Vater sehr stolz darauf war, daß ihm die Exklusiv-
vertretung für die eleganten Füllfederhalter für seine Gegend in Wilmersdorf übertragen worden war. Das Geschäft

Meine Eltern: Ludwig und Antonie Berggruen

ging gut. Beide Eltern standen tagsüber im Laden, und wenn Hochbetrieb war, wie etwa vor Weihnachten, durfte ich helfen, was mir großen Spaß machte.

Wir wohnten gegenüber unserem Geschäft in einem jener typischen Berliner Mietshäuser der Jahrhundertwende, die keine Besonderheiten aufwiesen, aber für die damaligen Lebensverhältnisse recht komfortabel waren. Als ich in den Wirren des Frühjahrs 1945 in einem US-Jeep aus St. Germain-en-Laye, wo meine Einheit stationiert war, in das zertrümmerte Berlin zurückkam, war mein erster Gang in die Konstanzer Straße, zu dem Haus, in dem ich geboren war und aufgewachsen bin. Das Haus stand nicht mehr, es war, wie so viele andere, zerbombt, Opfer eines unseligen Krieges.

Meine Eltern waren weder Großbürger noch Kleinbürger, sondern irgendwo dazwischen einzuordnen, *middle*

class würden die Engländer sagen. Als fleißige Geschäfts-
leute, deren Alltag recht konventionell und eintönig war,
gingen sie abends manchmal ins Kaffeehaus – das Café im
Hotel am Zoo war ihr Stammlokal –, oder sie trafen sich bei
Freunden zu einem Skatspiel. Gelegentlich stand ein Besuch im Theater oder in der Oper auf dem Programm:
Stücke von Gerhart Hauptmann und Carl Zuckmayer,
Tosca und *Rigoletto* gehörten zu den Evergreens. Wie heißt
es bei Gottfried Benn:

> In meinem Elternhaus hingen keine Gainsboroughs
> wurde auch kein Chopin gespielt
> ganz amusisches Gedankenleben ...

Die kulturellen Ansprüche bei uns in der Konstanzer
Straße waren also nicht sehr hoch. Das einzige Bild im Sa-
lon unserer Wohnung, an das ich mich erinnere, war nach
einem berühmten Gemälde des Kaiser-Friedrich-Museums
reproduziert: Rembrandts *Mann mit dem Goldhelm*. Dieses Bild, das bis vor wenigen Jahren als Inbegriff eines
Rembrandt galt, bevor eine aufwendige Restaurierung im
Zuge der allgemeinen Rembrandt-Revision den Nachweis
erbrachte, daß es sich gar nicht um einen Rembrandt handelt, entsprach ganz dem bürgerlichen Geschmack der Kai-
serzeit. Im genialischen Clair-obscur sahen die Menschen
ihre Vorstellung von »großer Kunst« verwirklicht. Es gehört
zu den Paradoxien bürgerlichen Kunstverständnisses, daß
nicht die Qualität eines Gemäldes zum Maßstab seiner Echtheit genommen wird, sondern der Mythos.

Neben der obligatorischen Rembrandt-Reproduktion
hingen in meinem Elternhaus vor allem Landschaften und
Blumenstilleben, die dem Zeitgeschmack entsprechend
harmonisch zu den Möbeln paßten. Was die Einrichtung
betraf, wurden die Stile Louis XV. und Chippendale bevor-

zugt, alles in Kopie natürlich. Kunst war nicht mehr als notwendige Dekoration. Ausstellungs- oder Museumsbesuche waren nicht vorgesehen, die Namen Picasso oder Cézanne hatte man in den Kreisen meiner Eltern kaum gehört, und die Welt der renommierten Händler – Cassirer, Flechtheim, Thannhauser, I. B. Neumann wie auch Herwarth Walden – blieb ihnen verschlossen. Kurz: In meinem Elternhaus gab es praktisch nichts, was mich zur bildenden Kunst hätte führen können.

Am Sonntag ging man grundsätzlich spazieren. Wir wohnten in der Nähe vom Olivaer Platz, und jeden Sonntagvormittag mußte ich meine Mutter begleiten, wenn sie ihre Promenade den Kurfürstendamm hinauf, an der Gedächtniskirche vorbei bis zum KaDeWe und dann wieder zurück unternahm. Für mich waren diese Sonntagmorgen sehr langweilig. Meine Mutter versuchte, mir die Pflicht mit einem Bonbon zu versüßen. Wenn wir uns für den Spaziergang rüsteten, steckte sie mir vor dem Verlassen des Hauses ein Bonbon in den Mund, mit dem ich mich den halben Weg über beschäftigte, und wenn ich mich ordentlich betragen hatte, bekam ich bei der Kehre am KaDeWe ein zweites Bonbon, das mir den Heimweg verkürzen sollte.

Bekannte, denen wir begegneten, grüßten wir höflich, die Herren zogen den Hut, die Damen nickten, alles wirkte, rückblickend betrachtet, sehr bieder und so, als könnte sich an diesen Ritualen niemals etwas ändern. Am Sonntagmittag führte uns mein Vater dann – ein großer Luxus schon damals – ins Restaurant Kempinski am Kurfürstendamm. Es gab in der Regel immer das gleiche, und es schmeckte köstlich: kalter Rheinlachs mit Remouladensoße und danach rote Grütze.

Der große Krieg war vorüber. Invalide, wie von George Grosz oder Otto Dix geschaffen, kriegsblinde Drehorgelspieler, einbeinige und einarmige Krüppel in zerlumpten Uniformen standen an den Straßen, aber sie blieben Randgestalten, an denen man bewußt vorbeischaute. Nach vier Jahren des Elends und der Zerstörung war das Bedürfnis, das Leben in vollen Zügen zu genießen, größer denn je.

Die ersten Jahre besuchte ich die Volksschule in der Joachim-Friedrich-Straße und anschließend das Goethe-Reform-Real-Gymnasium bei uns in der Nähe. Mit der Schulzeit verbinde ich keine besonderen Erinnerungen, alles verlief ziemlich reibungslos. Die Klassenräume waren immer überfüllt – im Durchschnitt fünfzig Jungen –, aber irgendwie eignete man sich den Unterrichtsstoff dennoch an. Etwa die Hälfte meiner Klassenkameraden war jüdisch, aber in den neun Jahren meiner Gymnasialzeit (1923–1932)

Klassenfoto von 1930; ich bin der dritte von links in der unteren Reihe

Mit meinem Vater, der Fronturlaub hatte

entsinne ich mich keines einzigen wirklichen Zwischen-
falls zwischen jüdischen und nichtjüdischen Schülern.

Keiner meiner jüdischen Freunde hatte damals das Gefühl, daß das Jüdischsein sehr bald schon ein Problem werden sollte. Wir stammten alle aus Häusern, in denen die
Assimilation sehr weit fortgeschritten war. Die Religion
spielte eigentlich nur an den beiden hohen Feiertagen im
Herbst, dem jüdischen Neujahr und dem Versöhnungsfest
(Jom Kippur), eine Rolle. Dann ging die ganze Familie dun-

kel gekleidet, mein Vater mit Zylinder, auf ein paar Stunden in die Synagoge. Wir waren keine deutschen Juden, wir waren jüdische Deutsche. Wir besaßen eine Nationalflagge, Schwarz-Rot-Gold, die an Feiertagen vom Balkon flatterte, und bedauerten, daß Kaisers Geburtstag nicht mehr gefeiert wurde.

Ich erinnere mich an einen Jungen unserer Klasse, Peter Krieger, der von Palästina besessen war. Sein Traum war, nach Jerusalem auszuwandern. Kurz nach Hitlers Machtübernahme verwirklichte er diesen Traum: Wir anderen verstanden ihn nicht. Im Grunde war ich von politischen Unruhen völlig abgeschirmt. Während des ersten großen Boykotts jüdischer Geschäfte Anfang April 1933, wie auch ein Jahr später, beim sogenannten Röhm-Putsch, zwei einschneidenden Ereignissen, studierte ich, eingebettet in ein anregendes Milieu von Kunst und Literatur, in Südfrankreich. Von dem Unwetter, das sich über Deutschland zusammenbraute, spürte ich nichts. Nach meiner Rückkehr nach Berlin 1935 wohnte ich in einem Viertel, in dem es, anders als in Moabit oder im Wedding, niemals Straßenschlachten oder Schießereien gegeben hatte, und noch immer war dieser Teil des Westens eine Insel des Friedens. Von Konzentrationslagern sprach niemand, und die ›Reichskristallnacht‹ von 1938 lag in weiter Ferne.

Student in Toulouse

Nach dem Abitur 1932 hatte ich die Absicht, nach Frankreich zu gehen. Frankreich war ein Land, das mich faszinierte. Mit der politischen Entwicklung in Deutschland hatte dieser Entschluß nichts zu tun. Wie viele junge Leute war ich einfach von dem Wunsch geleitet, mich mit einer anderen Kultur vertraut zu machen, ein wenig in der Welt herumzukommen. Meine Eltern zeigten sich diesen Plänen gegenüber sehr aufgeschlossen und unterstützten mein Vorhaben, mein Studium im Ausland zu beginnen.

Ich entschied mich für ein Literaturstudium in Grenoble. Die dortige Universität war bekannt für ihre Offenheit und Gastfreundschaft gegenüber ausländischen Studenten. Dies bestätigte sich gleich nach meiner Ankunft. In meinem ersten Brief an meine Eltern teilte ich ihnen mit, daß Grenoble eine wunderschöne Stadt sei; besonders gut seien meine Fortschritte im Englischen. Nur war die Vervollkommnung meiner Englischkenntnisse nicht der Sinn der Sache; ich wollte vielmehr mein Schulfranzösisch verbessern. Der tägliche Umgang mit englischen und amerikanischen Kommilitonen führte jedoch dazu, daß ich mich fast ausschließlich in Englisch unterhielt, Französisch aber zunehmend vernachlässigte.

Als mir dies klar wurde, nahm ich eine Karte von Frankreich und entschied, nach einer Universitätsstadt zu suchen, von der ich annehmen durfte – zu Recht, wie sich zeigen sollte –, daß dort keine andere Sprache gesprochen wurde als Französisch. Eine der abgelegensten und mithin aussichtsreichsten Städte schien mir Toulouse zu sein. Also packte ich meine Sachen und zog von Grenoble weiter Richtung Südwesten, bis kurz vor die Pyrenäen.

Toulouse erwies sich als Glücksfall. Recht bald fand ich Aufnahme in einem Kreis junger Leute, die wie ich intensiv an Literatur interessiert waren. Zu zwei Studenten entwickelte ich bald eine enge freundschaftliche Beziehung. Der eine, Bertrand d'Astorg, entstammte einer alten französischen Adelsfamilie, der andere war Paul Jammes, der Sohn eines bekannten Schriftstellers. Das bedeutendste Buch seines Vaters, Francis Jammes, *Le Roman du lièvre,* war mitten im Krieg, 1916, unter dem Titel *Der Hasenroman* auf deutsch erschienen. Paul nahm mich mit nach Hasparren, einem kleinen Ort nahe der spanischen Grenze, wo sein Vater lebte. Die Tage dort beeindruckten mich natürlich nachhaltig: Ein junger Mensch von knapp zwanzig Jahren als Gast eines großen französischen Dichters, eines Freundes von Claudel und Proust, das war schon etwas Besonderes.

Ich blieb in Toulouse etwa anderthalb Jahre, studierte Literatur und Kunstgeschichte und legte in diesen Fächern auch mein Abschlußexamen ab. An der französischen Universität hieß dieser Abschluß *Licence ès lettres,* was in Deutschland etwa dem Magisterexamen entspricht. Das Studium bereitete mir keine großen Schwierigkeiten. Die Atmosphäre wirkte stimulierend, die Kommilitonen waren sympathisch. Wir saßen viel in den Cafés am Capitol herum und diskutierten nächtelang – nur Politik war tabu.

In dieser glücklichen Zeit verlor ich auch meine Unschuld. An einem hohen Feiertag – das gehörte zur initiatorischen Tradition in diesen streng katholischen Regionen, und bezeichnenderweise war es der Tag der *Pucelle,* der Jungfrau von Orléans – schleiften mich meine Mitstudenten ins Bordell, um mich dort vor aller Augen entjungfern zu lassen. Es ging ziemlich wild zu.

Warum, wird sich mancher Leser fragen, habe ich mich damals nicht für Paris als Ort des Studiums entschieden. Offen gestanden, hatte ich Angst vor Paris. Ich dachte, da würde ich untergehen, da würde ich mich einfach nicht zurechtfinden. Ich hatte das Gefühl, mich in der Provinz eher heimisch zu fühlen, beschützter zu sein. Ich kannte ja nicht eine Seele in Frankreich, hatte weder eine Anlaufstelle noch eine Einführung. Wahrscheinlich war aber gerade deshalb meine Kontaktsuche erfolgreich; als frischer, junger Mensch, der sehr neugierig war und voller Wißbegier, war ich meinem Gastland willkommen.

Nach meinen Abschlußprüfungen stellte sich die Frage, wie es nun weitergehen sollte. Mein Vater hatte mich zu einer kleinen Reise ans Meer eingeladen, und so fuhr ich nach Paris, wo wir uns treffen wollten, um von dort gemeinsam an die See zu reisen. Kurz nach meiner Ankunft in der Seine-Metropole geschah jedoch etwas, was für meinen Vater und den geplanten Aufenthalt am Meer nicht ohne Folgen bleiben sollte. Bei einer Autobusfahrt stand ich plötzlich einer jungen Dame gegenüber, einer Violinistin, wie ich an ihrem Instrumentenkasten scharfsinnig erkannte, in die ich mich sofort, noch auf der Plattform des Autobusses, heftig verliebte. Edith, so hieß sie, wurde meine erste große Liebe.

Meinen armen Vater vernachlässigte ich von Stund an völlig. Die Rücksichtslosigkeit, die junge Leute, wenn sie verliebt sind, entwickeln können, ließ mich kaum noch Zeit für ihn finden. Unsere Reise in den damals beliebten Badeort Le Touquet Paris-Plage war eine einzige Katastrophe. In meinem Trennungsschmerz verbrachte ich die wenigen Tage am Meer vor allem damit, mich in meinem Zimmer einzuschließen und meiner fernen Edith lange Briefe zu schreiben. Mein Vater, ein sanfter, träumerischer Mensch, schwieg und ging unterdessen am Strand spazieren. Als wir uns in Paris verabschiedeten, war ganz offensichtlich, daß er weder mit dem Aufenthalt am Meer noch mit seinem Sohn glücklich sein konnte. Ich dagegen hatte nur noch eines im Sinn: die Freundin.

Edith hatte eine sehr hübsche Studiowohnung im 14. Arrondissement, in die ich sogleich mit einzog. Wir lebten dort ein knappes Jahr zusammen. Ich schrieb in dieser Zeit einige Beiträge, meist über kulturelle Ereignisse in der Hauptstadt, für die *Dépêche de Toulouse*, die als eine der besten Provinzzeitungen Frankreichs galt. Natürlich konnten wir davon nicht leben. Aber Edith gab sehr viele Geigenstunden, und die Eltern, obwohl ihnen mein Bohemedasein nicht gefiel, schickten etwas Geld. Bis eines Tages die sehr energische Frau Mama erschien, entschlossen, ihren Sohn zu einem ordentlichen Lebenswandel zu bewegen.

Streng und unnachgiebig erklärte sie: »Jetzt ist Schluß. Du kommst nach Hause.« Zu Hause bedeutete für meine Mutter wie für mich immer noch Berlin. Wir schrieben inzwischen das Jahr 1935, aber was in Deutschland politisch geschah, wurde von mir gar nicht ernst genommen. Auch meine Eltern hatten kein Gespür für die Gefahr, die sie umgab. Sie ahnten nicht, welches Ausmaß die Ausschreitungen noch annehmen sollten, welcher Wahn die Deutschen erfaßt hatte. Meine Eltern fühlten sich vollkommen integriert, sie gehörten in Berlin »dazu«. Mein Vater war aus dem Ersten Weltkrieg mit dem Eisernen Kreuz zurückgekehrt, und er war sehr stolz darauf. Alles andere würde vorübergehen.

Mir blieb keine andere Wahl, als meiner Mutter zu folgen und nach Berlin zurückzukehren. Der Gedanke, daß für einen jüdischen Jungen 1935 jedes Land der Welt besser gewesen wäre als Deutschland, kam mir erst gar nicht. Mein Zuhause war an der Spree.

So folgte ich meiner Mutter, nicht ganz freiwillig, aber ich folgte. Die Beziehung zu meiner Violinspielerin war ohnehin abgeflaut. So ist das wohl in der Jugend: Die Liebe kommt, die Liebe geht.

Ich war jetzt einundzwanzig Jahre alt, und es stellte sich die Frage, was ich mit meinem Leben anfangen wollte. Durch meine Jahre in Frankreich war ich zu sehr an die Freiheit gewöhnt, als daß ich noch bei meinen Eltern hätte wohnen wollen. Aber von welchem Geld sollte ich mir eine eigene Bude finanzieren?

Schon bevor ich nach Frankreich gegangen war, hatte ich zu schreiben begonnen. Als Primaner verfaßte ich für die Kinderbeilage des Ullstein-Blattes *Die Grüne Post* kleine Artikel. Über einen Kontakt bei Ullstein ergab sich 1932 die Chance, im Berliner Rundfunk mitzuwirken, und bald wurde ich zu einem regelmäßigen, wenn auch bescheiden bezahlten Mitarbeiter der Jugendstunde, für die ich Kinder- und Jugendbücher rezensierte. Unter den von der Redaktion vorgeschlagenen Titeln suchte ich mir diejenigen aus, die mich interessierten und die ich in der Sendung vorstellen wollte.

Eines Tages stieß ich auf das Buch eines Autors namens Hans Huffzky, *Wir durchstreifen Bulgarien*, das ich mit großer Begeisterung las und ebenso euphorisch besprach. Drei Tage nach Ausstrahlung der Sendung im Sommer 1932 bekam ich einen Brief aus Dresden: »Lieber Heinz, ich habe Dich zufällig im Radio gehört und mich sehr gefreut, daß Du mit meinem Buch so einverstanden bist, und würde Dich schrecklich gerne kennenlernen. Ich komme manchmal nach Berlin und werde Dich wissen lassen, wann ich da bin, und dann wollen wir uns treffen. Herzliche Grüße, Hans Huffzky. P. S.: Bist Du eigentlich Jude?«

Das Postskriptum gab mir zu denken. Ich rätselte, warum dieser Hans mir so ausdrücklich eine solche Frage stellte. Also schrieb ich ihm: »Ja, ich bin Jude, natürlich, warum aber fragst Du? Und wann kommst Du denn nach Berlin?« Damals schrieb man noch emsig, es gab noch keine Faxgeräte, und auch telephoniert wurde wenig. Hans antwortete postwendend: »Ich fragte Dich, weil ich die Juden sehr mag, und ich hatte gehofft, Du seist einer.«

Dieser kuriose Briefwechsel war der Beginn einer intensiven Freundschaft. Als Hans wenig später nach Berlin kam und ich ihn am Flugplatz Tempelhof abholte, waren wir uns sofort sympathisch. Er war etwas älter als ich und als Journalist tätig, anscheinend mit einem gewissen Erfolg, denn wie hätte er sich sonst einen Flug von Dresden nach Berlin leisten können.

Während meiner Studienzeit in Frankreich hatte ich Hans ein wenig aus den Augen verloren, aber als ich 1935 nach Berlin zurückkam, nahm ich den Kontakt sofort wieder auf. Hans lebte inzwischen in Berlin. Er stellte mir einen Freund vor, Armin Schönberg, der ebenfalls Journalist war und mit dem er zusammen wohnte. Schon bald schlugen mir die beiden vor, zu ihnen in ihre gemeinsame Wohnung zu ziehen, die sie *Oase Biskra* nannten, für sie ein Symbol der Freizügigkeit. So mußte ich mich nur vorübergehend bei meinen Eltern niederlassen – ganz der egoistische Sohn, der seine Hemden zu Hause waschen läßt – und zog dann zu meinen Freunden Armin und Hans in die *Oase Biskra*, in der wir recht vergnüglich hausten. Das »Tausendjährige Reich« schien sich woanders abzuspielen.

Die gemeinsame Wohnung lag in einer Seitenstraße des Kurfürstendamms, der Meinekestraße. Die Miete der großzügig geschnittenen Altbauwohnung wurde durch drei geteilt, und auch sonst wurde alles mögliche geteilt. Unser Zusammenleben gestaltete sich höchst anregend, und wir verstanden uns fabelhaft. Nur das Politische ging vollkommen an uns vorbei, obwohl Armin und Hans journalistisch arbeiteten. Huffzky war Mitarbeiter der *Frankfurter Zeitung*, der Vorgängerin der heutigen *Frankfurter Allgemeinen Zeitung*, und nachdem er einiges von mir gelesen hatte, forderte er mich auf, für ihn beziehungsweise für die *Frankfurter* zu schreiben.

»Dürft ihr denn überhaupt jüdische Mitarbeiter beschäftigen?« fragte ich ihn. Soviel wußte ich inzwischen schon, daß der Antisemitismus in Deutschland eine wichtige Rolle spielte und daß es nicht leicht war, als jüdischer Autor zu publizieren. Hans fragte sicherheitshalber bei der Redaktion der Zeitung in Frankfurt zurück. Die Antwort lautete: Ja, es sei grundsätzlich möglich, aber der junge Mann solle doch besser nur mit seinen Initialen zeichnen. So erschienen meine Beiträge in der *Frankfurter Zeitung* mit den Initialen »h. b.«.

Durch Episoden wie diese drang die politische Realität allmählich in mein Bewußtsein. In diesem besonderen Falle wollte ich freilich nur hören, daß ich als Jude noch publizieren konnte. Das war es vor allem, was mich an der Frankfurter Antwort interessierte. Diese »Erlaubnis« wiederum hat mich darin bestärkt, zu glauben, es werde alles nicht so schlimm werden, wie es manche Ereignisse anzudeuten schienen. Dennoch spürte ich mit der Zeit immer deutlicher, daß es keine großen Möglichkeiten mehr für mich gab, daß beruflich viele Wege abgeschnitten waren.

Woche für Woche wurden neue Erlasse und Verordnungen herausgegeben, die den sogenannten Nichtariern alles mögliche verweigerten oder verboten. Das begann mich schließlich doch zu beunruhigen, und so wuchs in mir das Bedürfnis, fortzugehen. Eine Zukunft gab es für mich in Deutschland nicht, und ich war zu ehrgeizig, als daß ich mich in die Beschränkung meiner Möglichkeiten hätte fügen wollen. Ich wollte mehr.

Als ich meinen Eltern meine Absicht mitteilte, widersetzten sie sich heftig. »Wir bleiben. Und wenn wir bleiben, kannst du auch bleiben. Wir finden hier alles sehr ordentlich. Du bleibst hier.« – »Nein«, sagte ich, »ich bleibe nicht, ich gehe fort.«

Während meiner Tätigkeit für die *Frankfurter Zeitung* schrieb ich einen oder zwei Beiträge pro Monat. Nebenbei verfaßte ich noch eine Reihe anderer Artikel, die ich bei kleineren Blättern unterbrachte. »Man kann diese kleinen Prosagedichte nur mit höchster Emotion lesen«, sagte Werner Spies 1989 bei der Eröffnung der Tübinger Ausstellung meiner Klee-Sammlung, »als traurige Episteln einer verlorenen Jugend...«

Als charakteristisches Beispiel für das, was ich damals schrieb, stehe hier ein Essay über die Stadt der Moderne, in dem ich mit kaum zu verbergenden Reminiszenzen an die Metropolis-Welt von Fritz Lang dringend vor allem sogenannten Fortschritt warnte. Der Artikel erschien am 28. Oktober 1935 in der *Frankfurter Zeitung*.*

---

* Weitere 1935/36 in der *Frankfurter Zeitung* erschienene Beiträge finden sich im Anhang, S. 237 ff.

Neue Stadt

Die Rationalisierung feiert neue Triumphe: Seit einiger Zeit werden auf gewissen Straßenbahnlinien die Haltestellen nicht mehr vom Schaffner ausgerufen, sondern durch das Aufleuchten eines Schildes hinter dem Führerstand angezeigt. Die Stimme hat keinen Anspruch mehr im öffentlichen Getriebe, sie wird in die Schranken des Privaten zurückgedrängt.

In allen Straßen der Stadt sind *Automaten* aufgestellt: Fernsprechautomaten, Zigarettenautomaten, Schokoladenautomaten, Stadtbahnkartenautomaten. Du steckst eine Münze in den Schlitz, drückst auf den Metallknopf und erhältst den Gegenwert, den du erwartest. Jede Diskussion erübrigt sich: Der Partner bleibt stumm. Kein »Danke schön!«, kein »Sonst noch was gefällig?« Du zahlst, nimmst die Ware und gehst deiner Wege.

Die Entwicklung ist unverkennbar: Es geht nicht um Modernisierung, und auch das Wort »Vereinfachung« ist unzulänglicher Ersatz für das, worum es sich in Wirklichkeit handelt: Durchführung strengster *Anonymität* als Schutz privater Gefühlsbetätigung. Wer immer noch meint, die Stadt ersticke das Gefühl und zwinge die Menschen zu vernunftbetontem Materialismus, der hat den Prozeß erzieherischer Umformung, den die Menschen der Stadt erfahren, nicht verstanden. An den Rasenplätzen und Blumenbeeten der städtischen Parks sind Schilder angebracht mit der Aufschrift: *Bürger, schont eure Anlagen!* Niemand käme auf den Gedanken, daß sich diese Aufforderung auf etwas anderes als auf die Grünflächen beziehe. Und doch ist sie das stille Motto, unter dem Einrichtungen wie der automatische Haltestellen-Anzeiger oder der Obstautomat auf der

Straße geschaffen wurden: Schont eure Anlagen! Gefühl, Stimmung, Laune – behaltet es für euch, spart es auf, verschwendet es nicht an Fahrgäste oder Obstverkäuferinnen.

Ein neuer Typ des Stadtmenschen bildet sich. Kleinliche Verzerrung sieht ihn als gehetztes, überreiztes, seelenloses Kollektivglied, namenlos genormt. In Wahrheit aber findet er zur Besinnung auf sich selbst. Das Gefühl zerreibt sich nicht mehr am äußeren Zusammenprall mit den Ereignissen des Alltags, es befreit sich von Zufallsschlacken und erhärtet. Kein billiger Individualismus mehr: passe-partout zu jedem Vorgang, sich überall und nirgends ausbreitend, sondern Eindämmen der Eigenart im Bereich letzter persönlicher Dinge. U-Bahn und Taxi, Verkehrsampel und Automatenrestaurant als Symbol und Symptom der Stadt: Nicht in der Absicht der Abstraktion des Lebens, sondern der Wegbahnung zu privater Bereicherung. Städtische Technisierung nicht als Ernüchterungsprozeß der Seele, sondern zum Zwekke ihrer Loslösung und Befreiung aus dem Rahmen von Alltags- und Zufallsvorgängen. Die Stadt verschenkt nichts. Aber sie fordert auch nichts mehr. Die Gefühle, die der Akkumulator der Seele aufgespeichert hat, braucht sie nicht mehr auf. Ihre Gebärden sind rücksichtsvoll geworden. Sie drängt sich nicht auf. Niemand braucht zu befürchten, er könne sein Ich verlieren. Die fortschreitende Mechanisierung wird verhindern, daß jemand auch nur einen Deut seines Ichs einbüßt.

Wer seine Seele retten will, der – fliehe in die Stadt. Ein großartiger Organismus ist da aufgezogen, um sie zu konservieren. Auf Eis gestellt zwar, aber in Sicherheit. Das Aufzucken der Lichter an den Dächern, das Vorbeizischen der Züge über den Stadtbahnbögen, das Heulen der Autohupen und das Metallblinken der Brötchenautomaten: Alles ist Mahnung und Forderung zur Intensivierung der Gefühle. Bürger, schont eure Anlagen!

Hans Huffzky, der Autor des Bulgarien-Buches, feierte nach dem Krieg übrigens große Erfolge als Gründer der Frauenzeitschrift *Constanze*. Als ich im Frühjahr 1945 mit den Amerikanern nach Frankfurt kam, hatte ich ihn mit Hilfe des Bürgermeisters ausfindig gemacht: In einer vollkommen zerschlissenen und verdreckten Uniform, elend und bleich, sah er aus wie Millionen Deutscher in diesen Tagen. »Weißt du«, sagte er, »ich habe nichts auf dem Leib als diese scheußliche Wehrmachtsuniform.« Huffzky war als Kriegsberichterstatter tätig gewesen, und alles, was er besaß, hatte er bei Verwandten auf dem Land ausgelagert. Das war jetzt russische Zone. Ob ich ihn dorthin fahren könnte? Ich hatte einen Jeep mit Fahrer, und für Hans war die Beschaffung von Zivilkleidung eine Existenzfrage. Ich freute mich, einem Freund, einem treuen Freund, einen Dienst erweisen zu können.

Am nächsten Tag, in aller Frühe, fuhren wir los. Es war eine strapaziöse mühselige Reise. Die Straßen waren streckenweise vollkommen zerstört. Ich hatte die richtigen Papiere, um überall gut durchzukommen. Als wir die Grenze der russischen Besatzungszone erreichten, versteckten wir Huffzky hinten im Jeep, und so, unter Decken den Blicken der Russen entzogen, passierte er die Kontrolle. Als wir am späten Abend zurück nach Frankfurt kamen, waren wir erschöpft. Es war eine Zeit, in der die Deutschen kilometerweit gewandert sind, nur um ein Päckchen Zigaretten oder ein Stück Seife zu ergattern.

III
Amerika: Versuch einer Assimilation

Reise nach San Francisco

Ich hatte keine Verwandten in Amerika, die mir ein *Affida-vit*, die Voraussetzung für eine Einwanderungsgenehmigung, hätten besorgen können. Die einzige Möglichkeit für mich, in die USA einzureisen, bestand darin, mich um ein Stipendium zu bemühen. Auf Empfehlung eines Bekannten, der über die entsprechenden Kontakte verfügte, stellte ich einen Antrag bei der Universität von Kalifornien in Berkeley. Die notwendigen Diplome konnte ich vorweisen, und so bekam ich tatsächlich ein Stipendium für ein Jahr. Mit diesem Stipendium im Handgepäck trat ich Ende 1936 via Dänemark meine Reise nach Amerika an: Zunächst mit der *Ile de France* von Le Havre nach New York, von dort drei Tage später über Havanna durch den Panamakanal nach San Francisco. Das Schiff von New York nach San Francisco war von noch größerer Eleganz als die *Ile de France*, eine Art schwimmendes Luxushotel im Hollywoodstil.

Das einzige, was man in dieser Zeit aus Deutschland mitnehmen durfte, war die persönliche Kleidung. Geld auszuführen, war (mit Ausnahme von 10 Mark!) strikt verboten. Mein Vater stattete mich, trotz seiner anfangs sehr entschiedenen Ablehnung meiner Pläne, großzügig mit Anzügen, Hemden und Schuhen aus, und er finanzierte auch die Schiffspassagen.

Meine Eltern blieben in Berlin. Später, sozusagen in letzter Minute, gelang es mir, sie noch herauszuholen. Sie verließen Deutschland im Mai 1939 auf dem berühmten Emigrantenschiff SS *Saint Louis*, dessen dramatisches Schicksal nach dem Krieg von Hollywood verfilmt wurde. Wie sich kurz vor Ankunft des Schiffes in Kuba herausstellte, hatte man den mehr als 900 Passagieren, die auf diesem Wege versuchten, sich vor dem Naziregime in Sicherheit zu bringen, für teures Geld ungültige Visa verkauft. Als sie im guten Glauben, endlich dem Terror entkommen zu sein, in Havanna von Bord gehen wollten, wurde ihnen dies von der kubanischen Regierung verweigert. Um pünktlich zu sein, hatten sie sich, wie mein Vater später berichtete, morgens um sechs von der Bordkapelle mit der Melodie »Freut euch des Lebens« wecken lassen. »Freut euch des Lebens«: Niemand durfte an Land, weil der Vermittler, der die Visa beschafft hatte, angeblich keinerlei Berechtigung dazu besaß.

Da der amerikanische Präsident wenig Bereitschaft zu Verhandlungen mit Kuba zeigte, wurde die Lage bedenklich. Roosevelt verschloß sich sämtlichen Argumenten, den Menschen auf der *Saint Louis* zu helfen, und verhielt sich erstaunlich gleichgültig gegenüber ihrem ungewissen Schicksal. Möglicherweise spiegelte sich in dieser Haltung die grundsätzlich ambivalente Einstellung der amerikanischen Juden gegenüber den europäischen Flüchtlingen wider. Die Amerikaner reagierten zum Teil sehr zurückhaltend, ja teilnahmslos, weil sie eine Überschwemmung mit bedürftigen Flüchtlingen aus Übersee fürchteten. Dabei könnten die gleichen Motive eine Rolle gespielt haben, die um die Jahrhundertwende die assimilierten deutschen Juden veranlaßten, sich gegen die Einwanderung der Ostjuden, die völlig mittellos aus Rußland und Polen kamen, zur Wehr zu setzen. Jedenfalls war von offizieller amerikanischer Seite keinerlei Unterstützung für die Passagiere der *Saint Louis* zu erwarten.

Das Drama vor der kubanischen Küste spitzte sich von Tag zu Tag zu, und es sah so aus, als wolle man die Heimatlosen tatsächlich zur Umkehr nach Deutschland zwingen und sie damit in den sicheren Tod schicken. Mancher verlor unter dieser Anspannung die Nerven, einige Verzweifelte nahmen sich ob der Ungewißheit das Leben. In zähen Verhandlungen wurde schließlich erreicht, daß vier europäische Staaten, England, Frankreich, Belgien und Holland, sich bereit erklärten, je 200–250 der insgesamt 900 Passagiere der *Saint Louis* aufzunehmen. Als Anlaufhafen wurde Antwerpen bestimmt. Aber nach welchen Kriterien sollte man die Passagiere über die vier Länder verteilen? Die Schiffsleitung – es handelte sich um einen Dampfer der Hapag – ging daher arbiträr vor, indem sie die Zuordnung alphabetisch organisierte: Passagiere mit den Anfangsbuchstaben A bis F, zu denen meine Eltern gehörten, wurden nach England weiterbefördert, die nächsten im Alphabet gingen nach Frankreich und so weiter.

Meine Eltern hatten gehofft, in Holland untergebracht zu werden, denn sie sprachen überhaupt kein Englisch, hatten aber gute Freunde in Holland. Daß es anders kam, war ihre Rettung, denn in Holland wären sie ein Jahr später mit Sicherheit den Nazis zum Opfer gefallen.

Noch vor Kriegsende holte ich sie nach Amerika, und wir sprachen viel über die Irrfahrt der *Saint Louis*, die für sie so glücklich ausgegangen war. Meine Eltern hoben immer wieder hervor, wie anständig sich die deutsche Schiffsleitung verhalten hatte, allen voran der Kapitän

Cézanne. Bildnis Mme Cézanne. 1885
National Gallery London,
Berggruen Collection

Van Gogh
Herbstgarten
1888

Cézanne. Bildnis des Gärtners Vallier. 1906

Gustav Schröder, der 1949 in einem schmalen Bändchen seine Erinnerungen an diese Odyssee publizierte. Darin heißt es:

> Alle Hilfeleistungen hätten aber kaum etwas genützt, wenn die Fahrgäste selbst nicht so zugänglich gewesen wären. Ihr dankbares Abschiednehmen vor der Landung in Antwerpen war rührend und bewegte mich tief und unvergeßlich. Um so stärker empfinde ich deshalb auch die Trauer darüber, daß viele der Armen, die sich in Frankreich, Holland und Belgien in Sicherheit glaubten, später durch den wahnsinnigen Krieg doch noch in die Hände von Verbrechern fielen und umkamen. Der Gedanke, daß es Menschen gegeben hat, die erst im K.Z. waren, dann die Passionsfahrt mit der *St. Louis* mitmachten, später wieder verschleppt wurden, um schließlich im K.Z. elendig zu verenden, ist mehr als bedrückend. Nur von wenigen der auf dem Festland untergebrachten Emigranten der *St. Louis* weiß ich, daß sie noch am Leben sind.

Ich hatte Europa bereits drei Jahre zuvor verlassen, und meine Reise durch den Panamakanal nach San Francisco erinnerte in nichts an eine Flucht, im Gegenteil, es war ein anregendes Erlebnis. Ich empfand die lange Fahrt als erholsam und genoß allen Komfort eines luxuriösen Schiffes. Mein Englisch war zwar nicht besonders gut, aber ich fand schnell eine begabte Lehrerin an Bord. Es handelte sich um eine junge Dame – zu den jungen Damen hatte ich offensichtlich immer schnell Kontakt –, die auf der Rückfahrt nach Los Angeles war. Wir freundeten uns an und genossen gemeinsam die angenehme Atmosphäre an Bord. Entsprechend herzlich und ergreifend war bei der Ankunft in Los Angeles unser Abschied.

Unter den am Kai wartenden Leuten, die die von Bord gehenden Reisenden abholten – es waren nicht mehr als ein Dutzend Privilegierte, die hier, weit vor den Absperrungen, ihre Liebsten erwarteten –, erkannte ich einen Mann, der damals unerhört prominent war, den großen Filmschauspieler Edward G. Robinson. Genau wie in seinen berühmten Gangsterrollen stand er dort, untersetzt, aber mächtig neben seinem Wagen und wurde von den Umstehenden begafft. Ich war nicht wenig überrascht, als meine neue Freundin, die ich zum Abschied von Bord begleitete, auf den prominenten Mann weisend sagte: »Darf ich dich meinem Vater vorstellen?«

Ich verbrachte einen wunderbaren Tag im Haus von Edward G. Robinson in Hollywood – damals galt Hollywood noch mehr als Beverly Hills – und empfand dies als einen glücklichen Anfang in Kalifornien. Sollte ich mich getäuscht haben?

Schrecklich europäisch

Daß ich in ganz Amerika niemanden kannte, an den ich mich hätte wenden können, beunruhigte mich nicht im geringsten. Als ich zum Studium nach Frankreich gegangen war, war ich ja ebenfalls ganz auf mich gestellt gewesen, ein solcher Neubeginn war mir durchaus vertraut. Viel mehr Sorge bereitete mir, daß ich vom ersten Tag an große Mühe hatte, mich an den amerikanischen Alltag zu gewöhnen, mich zu integrieren. Die Mentalität der amerikanischen Studenten war mir fremd. Dem intensiven Interesse meiner Kommilitonen an Baseball, Basketball und allen möglichen anderen körperlichen Ertüchtigungen begegnete ich gleichgültig, ich konnte dem Sport nicht viel abgewin-

1939 in San Francisco

nen. Es ist bezeichnend, daß ich in dieser Situation eine
Freundschaft zu einem Studenten aus Deutschland entwik-
kelte. Er hieß Gerhard Dessauer, studierte Chemie und war
der Sohn des bekannten Biophysikers und Zentrumspoli-
tikers Friedrich Dessauer, der Deutschland 1934 verlassen
hatte. Gerhard war lange Zeit meine einzige Bezugsperson.
Ansonsten kam ich mir einsam und verloren vor.

Plötzlich und zum ersten Mal hatte ich Heimweh nach
Deutschland, nach Berlin, nach dem Grunewald. Ich
dachte an den Halensee, in dem ich mich freigeschwom-
men hatte, an die Cafés am Kurfürstendamm und an die
Oase Biskra in der Meinekestraße. Berkeley besaß eine aus-
gezeichnete deutsche Bibliothek; ich lieh mir dort Gedichte

von Rilke und Erzählungen von Kafka aus. Und in meinem Zimmer verspürte ich Lust zu heulen. Was tat ich hier in Kalifornien? Berlin war so weit weg.

Wie die meisten amerikanischen Studenten wohnte ich auf dem Campus. Ich war in einem großen, eigens für ausländische Studenten bestimmten Wohnheim, dem International House, untergebracht. Mein Jahresstipendium betrug insgesamt 600 Dollar, das waren 50 Dollar im Monat. Obwohl damals, im Jahre 1937, alles sehr viel weniger kostete als heute, haben 50 Dollar bei weitem nicht ausgereicht, auch nur die nötigsten Kosten zu decken. Mein chronisches Finanzdefizit glich ich aus, indem ich stundenweise Deutschunterricht gab. Ich nahm drei Dollar die Stunde, was als gute Bezahlung galt, und dies half mir über die ärgsten Klippen hinweg.

Heute fragt man sich, wer angesichts der verhängnisvollen Außenseiterrolle, in die sich Hitler-Deutschland manövriert hatte, an der Westküste der USA überhaupt ein Interesse haben konnte, ausgerechnet Deutsch zu lernen. Die meisten meiner Schüler hatten besondere Beziehungen zu Deutschland, sei es, daß ihre Vorfahren deutscher Herkunft waren und dort noch Verwandte wohnten, sei es, daß sie Geschichte oder deutsche Literatur studierten. Viele von ihnen fuhren auch in den späten dreißiger Jahren noch nach Deutschland, um ihre Sprachkenntnisse aufzubessern und das Land kennenzulernen. Die Vereinigten Staaten traten bekanntlich erst nach dem japanischen Überfall auf Pearl Harbor im Dezember 1941 in den Krieg ein.

Neben den Deutschstunden hatte ich noch einen anderen kleinen Nebenverdienst. Ich spielte ganz ordentlich Klavier und auch Akkordeon. Als das bekannt wurde, forderte man mich auf, bei kleinen Festlichkeiten mitzuwirken. Das brachte eine warme Mahlzeit und ein paar Dollar ein. Bei einer dieser Feiern lernte ich Lillian kennen, die kurze Zeit später meine erste Frau wurde. Sie fand mich *terribly European*, und ich war glücklich, jemandem zu begegnen, der bereit war, auf mein so entsetzlich europäisches Seelenpiepen einzugehen. Ich brauchte einen Halt in diesem mir so fremden Land.

Lillian führte mich in ihre Familie ein, alteingesessene wohlhabende Kalifornier. Über die Liaison ihrer Tochter mit einem unbekannten, schüchternen, überdies vier Jahre jüngeren Emigranten zeigten sie sich wenig erbaut. Aber Lillian bestand darauf, daß wir heirateten, und so geschah es dann auch, zum Entsetzen ihrer Eltern und Geschwister. Wir flogen nach Reno im Staate Nevada, wo man wie in Las Vegas innerhalb einer Viertelstunde eine Sofortehe schließen konnte. Es war von meiner Seite der Versuch, mich durch die Ehe aus meiner permanenten Einsamkeit zu retten. Ich war knapp 25 Jahre alt und naiv genug, zu glauben, durch eine eheliche Bindung könne der Bann, der über allem lag, seit ich dieses Land betreten hatte, gebrochen werden. Aber nichts dergleichen geschah.

Ich wollte mich um jeden Preis integrieren und meinte, die Eingliederung in ein durch und durch amerikanisches Milieu und die Bindung an eine waschechte Amerikanerin würden diese Integration zustande bringen. Aber man betrachtete mich weiterhin als einen Fremdkörper, einen Außenseiter. Ich gehörte einfach nicht dazu. Wie es die anderen schafften, die damals zu Tausenden aus Europa kamen und die in der Regel nicht das Glück hatten, in eine wohlhabende amerikanische Familie einzuheiraten, blieb mir stets ein Rätsel.

Als ich 1942 eingezogen wurde, wußte ich, daß ein unglücklicher Abschnitt meines Lebens zu Ende gegangen war. Das Eingreifen der Amerikaner würde die Befreiung Europas bringen, und ich würde die erste Gelegenheit wahrnehmen, in die Alte Welt zurückzukehren.

In kurzem Abstand sollten zwei Kinder geboren werden, ein Junge, John, dann, wie es sich gehört, ein Mädchen, Helen. Ich trug bereits Uniform, war weit entfernt von San Francisco stationiert und kam nur gelegentlich zu kurzem Besuch. Später, als ich mich um die Erziehung meiner Kinder hätte kümmern können, war ich viele tausend Kilometer entfernt in Europa und kehrte praktisch nicht mehr in die Vereinigten Staaten zurück. Dennoch – und ich sage dies weder aus Stolz noch zur Entschuldigung, – haben sich beide Kinder, John wie Helen, prächtig entwickelt. Der Vater war fort, auch die Mutter kümmerte sich wenig, beide Kinder wuchsen in Internaten auf. John ist heute – obwohl ich versuchte, es ihm als allzu riskant auszureden – ein erfolgreicher Kunsthändler an der Westküste, Helen lebt in Napa Valley, dem kalifornischen Weinland, als geschätzte Malerin. Niemand könnte amerikanischer sein als meine Kinder, die genau wie ihre Mutter kein Wort Deutsch sprechen und Deutschland nur selten besucht haben. Trotz all der Jahre der Trennung besteht eine sehr herzliche Bindung zwischen uns.

Obwohl mein Englisch alles andere als perfekt war, bemühte ich mich, meine in Berlin begonnene und in Frankreich fortgesetzte Tätigkeit als Journalist neu aufzunehmen. Der Journalismus steckte mir einfach im Blut. Ich begann wieder zu schreiben, und da ich jemanden fand, der meine englischen Manuskripte korrigierte, ließ sich das Ganze recht gut an. Ich schrieb vorzugsweise über Deutschland, Erinnerungen an Berlin und andere kleine Beiträge, in denen ich direkt an meine Herkunft anknüpfen konnte. Nachdem ich einige dieser Artikel dem *San Francisco Chronicle* geschickt hatte, engagierte man mich, ohne meine Schwierigkeiten mit der englischen Sprache besonders zu erwähnen oder irgendwelche Qualifikationen von mir zu fordern. Das war Amerika. Ich wurde Redaktionsmitglied und schrieb vor allem für die Sonntagsbeilage des *San Francisco Chronicle* Artikel über Kunst und Künstler.

Auch wenn das Leben in San Francisco für mich viel interessanter war als in Berkeley, fühlte ich mich weiterhin isoliert und wußte meinen Lebensstil nur mit Mühe dem amerikanischen Pragmatismus anzupassen. Vor allem der extreme Materialismus schreckte mich. Der Slogan *America's business is business* erschien mir auf peinliche Weise zutreffend. Amerika war zwar lebendig, aber in einem Sinne, der mir nicht lag. Das Leben hier hatte einfach nicht genug Nuancen. Es wurde einem zuviel auf den Rücken geklopft, und die Beine wurden zu häufig auf den Tisch gelegt. So empfand ich meine Existenz in San Francisco bald als hohl und unproduktiv, die Tage plätscherten in einer für mich beklemmenden Eintönigkeit dahin. Am meisten war ich allerdings mit mir selbst unzufrieden. Meine Überempfindlichkeit, die oft an Wehleidigkeit grenzte, enervierte mich in zunehmendem Maße.

Mit Frida Kahlo in New York

Nachdem ich etwa ein Jahr bei der Zeitung gearbeitet hatte, bot mir das San Francisco Museum of Art eine interessante Stellung an. Beziehungen zu diesem Museum hatten sich ergeben, weil ich für den *Chronicle* regelmäßig Kunstkritiken schrieb. Und offensichtlich hatten diese Artikel die Aufmerksamkeit der Museumsdirektorin auf sich gezogen.

Ich trat meine neue Stelle mit großem Enthusiasmus an und geriet schon bald in den Bann, den die Beschäftigung mit moderner Kunst seither auf mich ausübt. Aber mehr als für die kunstwissenschaftliche Tätigkeit – das Sammeln und Ordnen, das Katalogisieren und Analysieren – interessierte ich mich für die Persönlichkeit des Künstlers, und hierbei wurde die Begegnung mit einem der Großen der amerikanischen Kunst, dem mexikanischen Maler Diego Rivera, für mich von existentieller Bedeutung. Die Faszination, die von Rivera ausging, hat mich wohl endgültig mein Glück in der Kunst suchen lassen.

Das San Francisco Museum of Art verfügte über beachtliche Bestände von Zeichnungen von Diego Rivera, und eines Tages erhielt ich den Auftrag, eine Ausstellung vorzubereiten und dazu einen Katalog zu erstellen. Ich hatte diesen Katalog völlig aus den Augen verloren, bis mir vor einigen Jahren Bill Lieberman, der Direktor der modernen Abteilung des Metropolitan, ein Exemplar schickte. In meiner Einleitung hatte ich über Diego Riveras Zeichnungen geschrieben:

> Wie ein Brueghel in einem anderen Zeitalter hat Rivera die spektakuläre Vermählung der Massen und der Maschine im zwanzigsten Jahrhundert mit seinem Pinsel festgehalten und neue Versionen des Gleichnisses von den Reichen und den Armen geschaffen ... Kalifornien sollte für Riveras Kunst zu einem Übergang werden, zu einem Übergang von den in seiner Heimat Mexiko wurzelnden Fresken zu den industriell inspirierten Wandmalereien der späteren amerikanischen Phase – Detroit

und New York. In Kalifornien erkannte er zum ersten
Mal die Möglichkeiten eines von technischen Errungen-
schaften strotzenden Kontinents. In San Francisco, der
Stadt, die mit Recht stolz ist auf ihre kosmopolitische
Atmosphäre, erlebte er zum ersten Mal das Phänomen
des großen amerikanischen Schmelztiegels.

Daß man ausgerechnet mich, der ich keinen direkten Bezug
zur mexikanischen Kunst hatte, damit betraute, eine Rive-
ra-Ausstellung zu organisieren, war merkwürdig. Es lag
wohl daran, daß das Museum nur wenige qualifizierte
Leute beschäftigte, auf die man hätte zurückgreifen können. Die Sammlung enthielt zwar einige hervorragende
Werke Diego Riveras, aber geeignete Kuratoren waren Man-
gelware. Als man mich fragte, ob ich die Aufgabe übernehm-
men wolle, stimmte ich natürlich mit Begeisterung zu. An
die Vorbereitungen dieser ersten Ausstellung in eigener
Regie erinnere ich mich noch heute, und auch diese Erfahrung war von großem Einfluß auf meine weitere berufliche
Entwicklung.

Kurz nach Ende der Ausstellung begannen in San Francisco die aufwendigen Vorbereitungen für die *Golden Gate
International Exposition*, die noch im gleichen Jahr, 1939,
eröffnet werden sollte. Als einer der Höhepunkte war ge-
plant, Diego Rivera nach San Francisco einzuladen und bei
ihm ein monumentales Fresko in Auftrag zu geben. Diese
Wandmalerei, das sogenannte Treasure-Island-Fresko, wurde von Rivera als Hymne auf den amerikanischen Kontinent
und zugleich als Aufforderung zu einer engeren panameri-
kanischen Verbindung verstanden. Heute befindet sich das
Gemälde im City College of San Francisco.

Ein Problem bei diesem Vorhaben war, daß Rivera kein
Wort Englisch sprach, dagegen jedoch recht gut Franzö-

sisch, weil er vor dem Ersten Weltkrieg ein paar Jahre in Frankreich gelebt und gemalt hatte – stark unter kubistischem Einfluß. Um Rivera für die längerfristige Arbeit an dem Fresko zu gewinnen, mußte man ihm einen Assistenten zur Seite stellen, der ihm sowohl als Dolmetscher als auch bei der Organisation des Projektes behilflich war.

Da ich durch meine Zeit in Toulouse und Paris Französisch fast wie meine Muttersprache beherrschte und durch die Ausstellungsvorbereitungen bewiesen hatte, daß mir Riveras Kunst vertraut war, meinten die Organisatoren der *Golden Gate Exposition*, ich sei der Richtige für diese Aufgabe. Ich ließ mich darauf ein, und ich machte es gut, ich machte es beinahe zu gut, denn schon bald war mein berufliches Engagement nicht mehr zu trennen von einer überaus verfänglichen Verquickung mit Riveras Privatleben.

Aufgrund einer merkwürdigen, von Diego Rivera initiierten Begegnung kam es zu einer ernsten Komplikation in unserem Verhältnis: Plötzlich stand ich rivalisierend zwischen ihm und seiner Frau Frida Kahlo. Bevor dieser Konflikt zwischen meiner beruflichen Verpflichtung gegenüber Rivera und meiner privaten Beziehung zu seiner Frau auftrat, hatte ich mich bei ihm als »Mädchen für alles« verdient gemacht.

Joseph Roth, wäre er ihm begegnet, hätte Rivera als einen Menschen von enormen körperlichen Ausmaßen gewiß trefflich geschildert. Wenn dieser gewaltige, stämmige Mann essen ging, bestand er auf riesigen Portionen, und es war eine meiner Aufgaben, entsprechende Lokale ausfindig zu machen. In mancher Hinsicht ein überdimensionales Kind, brauchte der Koloß jemanden, der ihn morgens aus dem Bett schüttelte und ihm anschließend allerlei Besorgungen abnahm.

In diesen Dingen zeigte ich mich recht geschickt. Ich erledigte die meisten Aufgaben selbständig, indem ich rechtzeitig erriet, welchen Dienst ich Rivera erweisen mußte, damit er ungestört seiner Arbeit nachgehen konnte. So fand sich schnell die richtige Umgangsform, die uns zu einem gut eingespielten Team werden ließ. Rivera faßte Vertrauen zu mir, weil er wußte, daß ich seine Kunst schätzte, obwohl er den Artikel, den ich im Katalog seiner Zeichnungen veröffentlicht hatte, gar nicht lesen konnte.

Eines Tages schlug Diego vor, ihn bei einem Besuch seiner Frau zu begleiten. Frida Kahlo hatte sich 1925 bei einem Busunglück in Mexiko eine schwere Beinverletzung zugezogen und war seit kurzem in ärztlicher Behandlung bei Dr. Eloesser in San Francisco. Ich hatte überhaupt keine Ahnung, wer Frida Kahlo war. Wahrscheinlich erwähnte Diego nicht einmal ihren Namen, als er mir den gemeinsamen Krankenhausbesuch vorschlug. Er sagte nur: »Lassen Sie uns zu meiner Frau gehen!«

Bevor wir das Hospital betraten, hielt Rivera kurz inne und sah mich mit seinen großen, dunklen Augen eindringlich an: Diese Augen leuchteten so magisch, wie ich es später nur wieder bei Picasso erlebte. Dann sagte er bedeutungsvoll auf französisch, wobei er wie immer vom »Sie« ins »Du« verfiel: »*Vous allez connaître ma femme, et tu vas tomber amoureux d'elle.*« Bevor ich Frida Kahlo überhaupt gesehen hatte, skizzierte Rivera schon den Ausgang der Begegnung und deren offenbar unvermeidliche Folgen.

Als wir das Krankenzimmer betraten, geschah genau das, was Rivera prophezeit hatte: Ich war augenblicklich vollkommen trunken von der Erscheinung dieser außergewöhnlichen Frau. Diego Rivera blieb nur kurz. Während seiner Anwesenheit herrschte eine intensive Spannung im

Raum, die beide ergriff. Das spürte ich sofort, obwohl ich kein Wort ihres spanisch geführten Gesprächs verstand. Ich fühlte fast körperlich, daß es nicht gut um die Beziehung der beiden stand. Als Rivera nach einer Weile Anstalten machte, zu gehen, wandte er sich mir zu und sagte: »Bleiben Sie, bleiben Sie. Meine Frau fühlt sich wohl mit Ihnen.« Dagegen hatte ich gar nichts, im Gegenteil: Ich hatte nur den einen Wunsch, bleiben zu können. Auch meinte oder hoffte ich, daß die junge Frau im Krankenbett meine Gegenwart ebenfalls als angenehm empfand.

Ich fühlte mich so stark zu Frida hingezogen, wie ich das nie zuvor bei einer Frau gespürt hatte. Die Banalität des Alltags war mit einem Schlag beseitigt, es gab nur noch Frida und mich – Tristan und Isolde im kargen Krankenzimmer eines amerikanischen Hospitals. Jeden Tag saß ich an Fridas Bett, und nach wenigen Besuchen beschlossen wir, San Francisco gemeinsam zu verlassen. Diese »Flucht« – so sehe ich die Eskalation unserer Begegnung heute – glich den melodramatischen Stoffen, mit denen Hollywood damals seine größten Kassenerfolge feierte. Mein Leichtsinn war schon deshalb ziemlich unverantwortlich – ich spreche jetzt nur von mir und nicht von Frida –, weil ich verheiratet war und in einem bürgerlichen Milieu lebte. Sich daraus einfach fortzustehlen, von einem Tag auf den anderen, war alles andere als seriös. Abgesehen von den Verpflichtungen meiner Familie gegenüber hatte ich einen Arbeitsvertrag sowohl mit Rivera als auch mit der Ausstellungsgesellschaft. Ohne Entschuldigung von heute auf morgen fernzubleiben und damit meine gesamte Existenz aufs Spiel zu setzen, dazu brauchte es schon eine gehörige Portion Unverfrorenheit. Doch ich war damals noch immer jung, gerade 25. In meiner Unbeschwertheit hatte ich mich dem

Zauber der Begegnung mit einer höchst ungewöhnlichen Frau hingegeben und mich blindlings in ein Abenteuer gestürzt, dessen Ausgang ungewiß war.

Um einen öffentlichen Skandal zu vermeiden, schlug Frida vor, daß wir mit verschiedenen Zügen fahren und uns am Ende der dreitägigen Reise in New York treffen sollten. Es ging Frida damals nicht gut, sie hatte große gesundheitliche Probleme. Aber sie war beweglich genug, reisen zu können, und ihr neuer Liebhaber hat sie wohl auf seine Weise motiviert.

Rivera ahnte wahrscheinlich, was hinter Fridas plötzlichem Aufbruch steckte, und auch, daß ich es war, mit dem ihn seine Frau hinterging. Er konnte sich die Umstände unseres gleichzeitigen Verschwindens bestimmt zusammenreimen, aber wie er tatsächlich auf unsere gemeinsame Flucht an das andere Ende des Kontinents reagierte, habe ich nie erfahren. Ich habe Diego Rivera nicht mehr wiedergesehen.

Frida Kahlo und ich fielen uns in New York in die Arme und verbrachten eine kurze, aber intensive Zeit miteinander. Daß sie mehrere Jahre älter war als ich, spielte für uns überhaupt keine Rolle. Frida hatte etwas faszinierend Kindliches, eine Art spontanen Entzücktseins, und zugleich etwas Passioniertes, Leidenschaftliches, eine Mischung, die mich bezauberte. Mit ihrem Temperament brachte sie mir Europa näher, und ich spürte, wie schmerzlich ich die Alte Welt vermißte. In Fridas Verhalten, in ihren Reaktionen auf den amerikanischen Lebensstil fand meine Sehnsucht nach Europa einen Widerhall, der mich meine wirkliche Zugehörigkeit erkennen ließ. Obwohl Mexiko weit von Europa entfernt ist und auch seine Kultur kaum europäisch genannt werden kann, war in Fridas Gegenwart Europa für

Diego Rivera und Frida Kahlo 1939

mich ganz nah. Ihre Andersartigkeit erinnerte mich an meine eigene Fremdheit in diesem Land, und in dieser gemeinsamen Distanz zu den USA fühlte ich mich Frida eng verbunden.

Frida Kahlo war keine Mexikanerin, wenn man darunter die Nachkommen spanischer Einwanderer versteht. Sie war vielmehr die Tochter eines Deutschen jüdischen Glaubens, mütterlicherseits aber reine Indianerin. Diese Mischung verlieh ihr etwas unerhört Faszinierendes, dem sich kaum jemand entziehen konnte, der mit ihr in Kontakt kam.

Ich war besonders gefesselt von ihrer Art, sich über Dinge, die in Amerika anders waren, in herzhaftem Lachen auszuschütten. Wir wohnten in einem Hotel, das heute nicht mehr besteht, dem *Barbizon Plaza*, südlich vom Central Park. Dort gab es einen extravaganten Service, den ich nirgendwo sonst wiedergefunden habe: Das Frühstück wurde durch einen kleinen Schacht ins Hotelzimmer katapultiert. Es rutschte in einem Karton von der Küche direkt in die Gästezimmer. Frida und ich haben uns jedesmal wie Kinder auf diesen Augenblick des vollautomatischen Frühstücksservice gefreut. Frida konnte sich nicht genug daran ergötzen: »So verrückt«, meinte sie, »diese Amerikaner sind so verrückt. Sie erfinden sogar eine Methode, den Leuten das Frühstück wie eine Rohrpost zuzustellen.«

Mehrere Wochen blieben wir in New York zusammen. Für große Unternehmungen hatten wir dabei wenig Zeit. Wir interessierten uns am meisten füreinander, unser gemeinsames Zimmer war uns wichtiger als jeder andere Ort der Stadt. Wenn wir das Hotel verließen, war es meist, um Fridas Kunsthändler, Julien Levy, und seine reizende Frau aufzusuchen. Levy war ein ebenso sensibler wie kompe-

tenter Kunsthändler, der eine starke Wirkung auf mich ausübte. Die Levys gaben ein paar Partys und Abendgesell-
schaften, an denen wir mit besonderem Vergnügen teilnah-
men; Fridas Liaison mit dem jungen Mann aus Deutschland
wurde dabei großzügig toleriert. Als Künstlerin war Frida
zu dieser Zeit im übrigen nur einem ganz kleinen Kreis
meist europäischer Surrealisten bekannt.

Dann kam der Tag, an dem Frida zu Diego Rivera zurück-
drängte. Je länger wir zusammen waren, desto stärker
machte sich ihre Bindung an ihn bemerkbar. Ich mußte
erkennen, daß unsere Beziehung für sie eine Episode war,
ein Liebesabenteuer, und daß ich die Stärke ihrer Verbindung mit Diego Rivera unterschätzt hatte. Vielleicht war
unsere Beziehung für Frida sogar ein Mittel, die Eifersucht
von Diego zu erregen und seine Gefühle für sie zu intensi-
vieren. Wir trennten uns unter Tränen, aber es war weder
für sie noch für mich das erste Mal, daß ein Liebesverhält-
nis ein abruptes Ende fand.

Frida fuhr also zurück zu Diego. Ich aber hatte zunächst
Hemmungen, die Rückreise anzutreten. Da ich keinen Cent
in der Tasche hatte, ging ich erst einmal zu Verwandten aus
Landsberg an der Warthe, die seit kurzem in sehr bescheidenen Verhältnissen in New York wohnten. Sie nahmen
mich großzügig auf und ließen mich für einige Wochen im
Wohnzimmer auf dem Sofa logieren. Als ich schließlich
den Mut fand, mich bei meiner Frau zu melden und sie zu
fragen, ob ich zu ihr zurückkehren dürfe, war sie wohl so
froh, endlich von mir zu hören, daß sie einwilligte.

Ich machte mich auf die Heimreise, arg deprimiert, aber
nicht wegen meiner Frau, sondern wegen Frida. Die Trennung von ihr erschien mir wie ein Fiasko. Was konnte ich in
San Francisco erwarten? Ich fuhr nach Westen und wäre

doch eigentlich viel lieber in die entgegengesetzte Richtung gefahren, aber da war Krieg. Wieder kam ich mir entwurzelt vor, zutiefst verloren. Wo war meine Heimat? Wo gehörte ich hin?

Eine unerwartete Auffrischung meiner Erinnerungen an Frida Kahlo erlebte ich vor ein paar Jahren. Ein amerikanischer Agent teilte mir mit, daß es Pläne gebe, Frida Kahlos Leben zu verfilmen, und daß den Recherchen zufolge ich der einzige sei, der über diese dramatische Phase ihres Lebens aus nächster Nähe berichten könne. Man wäre mir dankbar, wenn ich meine Erinnerungen an diese Zeit und an das Zusammensein mit Frida Kahlo zur Verfügung stellen würde. »Sie können bestimmen, wann und wo Sie sich mit der Produzentin treffen wollen, die auch die Hauptrolle in diesem Film spielen wird.«

Bei der Produzentin handelte es sich um Madonna, den amerikanischen Megastar. Sie hatte dieses Projekt initiiert, weil sie offensichtlich eine persönliche Affinität zu Frida Kahlo verspürte. Ich wußte, daß Madonna die Gemälde Frida Kahlos sehr schätzte und eines oder auch mehrere besaß. Andererseits fand ich es merkwürdig, mit welcher Vereinnahmung Madonna sich auf Frida Kahlo stürzte und sich mit ihr identifizierte. Dennoch wäre ich bereit gewesen, über meine Zeit mit Frida Kahlo zu berichten, aber es kam zu keinem Treffen, weil das Projekt irgendwann abgebrochen wurde, wie das wohl häufig in der unberechenbaren Filmwelt geschieht. Ich muß zugeben, daß es mich schon gereizt hätte, Madonna zu begegnen und mir einen persönlichen Eindruck von einem Menschen zu verschaffen, über den die Medien fast täglich mit neuen Skandalen aufwarten.

Gedanken zur kalifornischen Kunst

Die *Golden Gate International Exposition* war vorbei, als ich
am Ende meines Ausbruchsversuchs mit Frida Kahlo nach
San Francisco zurückkehrte. Im Museum nahm man mich
großzügig wieder auf, und ich setzte meine Arbeit fort.
Doch meine Beziehung zu Frida hatte etwas in mir verändert. Nach meiner Rückkehr hatte ich ein anderes, noch
distanzierteres Verhältnis zu meiner Umgebung. Es waren
keine uninteressanten Aufgaben, die man mir im Museum
stellte, aber die Gesamtkonstellation befriedigte mich nicht
wirklich, ich fühlte mich in meinem Schaffensdrang einge-
schränkt.

Die Museumsbestände waren, wie kaum anders zu erwarten bei einer jungen Institution dieser Art, bescheiden.
Aber auch der amerikanischen Kunst selber begegnete ich
mit grundsätzlicher Skepsis, was ihren tatsächlichen Rang
betraf. Dabei verhehlte ich keineswegs, daß mein Urteil
sich an den europäischen Maßstäben orientierte. Riveras
Kunst erschien mir wie eine Auffrischung, eine Blutzufuhr
für die kaum entwickelte, unartikulierte, um nicht zu sagen
ein wenig leere und anämische Kunst, die ich in Kalifornien
sah. Selbstbewußt faßte ich damals meine Meinung zusammen. Die Kunstgeschichte Kaliforniens müsse erst noch geschrieben werden, so spekulierte ich, und es werde sicher
noch eine Weile dauern,

> bevor es sich lohnt, mit der Geschichtsschreibung zu
> beginnen. Kalifornien ist ein junges Land, und seine
> Kunst ist noch um einiges jünger. Seine sogenannten
> alten Meister wären in Europa in einem Strom konven-
> tioneller Landschafts- und Porträtmalerei untergegan-

gen, der sanft durch die Ebenen des 19. Jahrhunderts zog. Und obwohl einige der hiesigen Maler, die die verfeinerte akademische und semiimpressionistische mitteleuropäische Technik beherrschen, durchaus eine gewisse Solidität und Ausdruckskraft in ihren Werken erreichen, wandelt die Kunst in Kalifornien doch auf nur mühsam zu beschreitenden, staubigen Pfaden.

Als ich aus New York zurückkam, erschienen mir die Bilder im San Francisco Museum of Art noch weniger aufregend als zuvor, und ich empfand die ganze Atmosphäre als eng, frustrierend und weit entfernt von dem, was ich mir von meinem Leben erhofft hatte. Ich wurde von Tag zu Tag unglücklicher. Hinzu kam, daß es auch um meine Ehe nicht gut stand. Ich hatte nur einen Wunsch und nur eine Hoffnung: zurück nach Europa!

IV
Journalist in München

Dann kam endlich der Tag, der mein ganzes Leben verän-
derte: der 7. Dezember 1941, an dem die Japaner Pearl Harbor bombardierten. Kurz darauf trat Amerika in den Krieg
ein: für mich, so frevlerisch das klingen mag, eine Art Erlösung. Ich wußte, die Dinge werden sich ändern, ich
wußte, jetzt werde ich irgendwie nach Europa zurückkom-
men. Und so geschah es. Da ich inzwischen amerikanischer
Staatsbürger geworden war, zog man mich rasch, gleich
Anfang 1942, ein. Ich blieb Soldat der US Army bis nach der
Kapitulation Deutschlands. Es waren überwiegend lang-
weilige, leere Jahre, in denen ich viel in amerikanischen
Kasernen herumhockte. Aus der Eintönigkeit von Wache-
schieben und Stubenarbeit habe ich mich befreit, indem
ich nebenbei Artikel schrieb.

Eine Zeitlang war ich im Norden Amerikas, in Seattle im
Bundesstaat Washington, stationiert, und dort hatte ich
besonders viel Muße. Den Eindruck, daß beim Militär eine
unerhörte Zeitverschwendung betrieben wird, haben
wohl alle Soldaten der Welt, solange sie nicht, wie es altmodisch heißt, im Felde stehen. Zu Hause, in der Kaserne,
»liegen« sie ja meist, und der feine Unterschied, den die
deutsche Sprache in dieser Beziehung macht, nimmt nicht
nur Rücksicht auf das pathetische »im Felde gefallen«, son-

Als Staff Sergeant der amerikanischen Armee, 1943

dern entspricht ganz und gar der Langeweile in den Kasernen.

Meine während der Dienstzeit entstandenen Artikel publizierte ich in *This World*, der Sonntagsbeilage des *San Francisco Chronicle*. In einem dieser Beiträge, der in Anlehnung an einen damaligen Bestseller, *The Last Time I Saw Paris* von Elliott Paul, *The Last Time I Saw Berlin* hieß, schilderte ich Empfindungen, die ich als ein in Berlin aufgewachsener, nach Amerika emigrierter deutscher Jude verspürte, der gegen den politischen Terror seines Vaterlandes kämpfte. Nicht ohne Wehmut über den Verlust Berlins, einer Stadt, die ich einmal kannte und liebte, schrieb ich:

Das letzte Mal, als ich in Berlin war, sah die Stadt gar nicht so schlecht aus. Vom Blockwart aufwärts schien jeder damit beschäftigt zu sein, Berlin zur Welthauptstadt der neuen Ordnung zu machen. Nachdem der Duce Rom umgestaltet hat, verspürte auch der Führer eine kreative Neigung. Hektarweise wurden alte Gebäude im Zentrum der Stadt abgerissen; an ihrer Stelle errichtete man das »weltweit kolossalste Luftfahrtministerium«. Stadtplaner schnitten riesige Straßen durch die City und verliehen ihnen taktvollerweise die Namen ihrer Auftraggeber. Man erledigte seine Einkäufe auf der Hermann-Goering-Straße, man wohnte in der Nähe des Adolf-Hitler-Platzes, und seine Kinder schickte man in die Rudolf-Hess-Schule.

Das waren die nicht wirklich fröhlichen, aber beinahe noch fröhlichen Zeiten. Im Eden-Hotel tanzten Balkan-Diplomaten und Obersturmbannführer auf Urlaub zu importierten Wiener Klängen, während sich Gestapo-Agenten in schicken Anzügen klassischer Gigolos diskret unter die Leute mischten. Frisch aus der Schule entlassene Oberleutnants saßen in den Straßencafés Unter den Linden und blitzten mit ihren Monokeln und ihrem Lächeln. Die Zeitungen strotzten vor Prophezeiungen: »Heute gehört uns Deutschland, und morgen die ganze Welt«. Ja, das klang gut in den Ohren der Berliner, es klang verdammt gut.

Natürlich gab es Einschränkungen, warum auch nicht... Man muß schließlich Opfer bringen, wenn man irgendwohin kommen will. Nach Spanien zum Beispiel. Tausende von Jungen machten sich 1937 auf den Weg zu »Orientierungs-« und »Kraft-durch-Freude«-Reisen auf die Iberische Halbinsel. Im Austausch dafür erhielten die Berliner kistenweise Orangen (Orangen waren immer schon ein Luxus in Deutschland).

In meinem letzten Jahr in Berlin gab es reichlich Orangen. Butter dagegen war knapp, und Eier gab es überhaupt nicht. Kohle war rar. Kleidung ebenso. Wollkleidung war gar nicht zu bekommen, aber man gewöhnte sich daran, Ersatz zu tragen. Es war schon komisch, einen Anzug anzuziehen, der eigentlich aus Holzbrei gemacht war. Man hatte den Eindruck, als ob man sich im Innern einer Baumrinde bewegte, nun ja, es war ein bißchen steif, aber was machte das schon. Die Berliner wollten ja keine Weichlinge sein... Laßt doch die dekadenten Engländer in ihren Flanell- und Tweedanzügen herumlaufen. Von Dr. Schacht behauptete man, daß er sich auf Papierkragen umgestellt habe...

In Italien fahren die Züge neuerdings planmäßig. In Deutschland, wo die Züge immer schon planmäßig fuhren, waren die Straßen makellos rein, besonders rein in Preußen, und am reinsten in der preußischen Hauptstadt. Oh, wie sauber die Straßen damals in Berlin waren! Da waren sie ja noch nicht mit dem zerbrochenen Glas der nichtarischen Kaufhausfenster übersät. Die große Jagd auf die Juden sollte erst ein Jahr später beginnen.

Flaggen, im kräftigen Wind wehend, trugen zum Bild einer herausgeputzten Stadt bei, und so sah Berlin äußerst festlich aus. Erwartet wurde, daß an nationalen Feiertagen eine Hakenkreuzfahne aus dem Fenster hing, und es gab viele nationale Feiertage. Führers Geburtstag zum Beispiel. Oder der Tag, an dem die Österreicher »heim ins Reich« geführt wurden. Der Jahrestag des Münchener Hofbräuhausputsches ... Wenn man die Fahne nicht hinaushängte, wurde man gemeldet, und das hatte man nicht so gern. So befolgte man die Vorschläge, und daher sahen die Straßen damals, 1936, als ich das letzte Mal in Berlin war, so festlich aus.

Die Berliner sind immer schon sehr stolz auf ihre Stadt gewesen, der Rest des Landes aber ärgerte sich über sie. Es war schon schlimm genug, zu den Preußen zu gehören, aber es war noch schlimmer, Berliner zu sein. Die meisten Deutschen halten die Berliner für selbstgefällig, hochnäsig und arrogant, und wenn ein Deutscher einen anderen Deutschen für arrogant hält, dann meint er das wirklich so.

Nun hat sich natürlich eine Menge geändert. Es gibt keine Tanzveranstaltungen mehr zum Tee auf dem Dachgarten des Eden-Hotels. Ja, der Dachgarten des Eden existiert nicht einmal mehr. Die Fahnen sind zerrissen, die aufwendigen Boulevards sind in die Luft gesprengt, und die eleganten Oberleutnants, die einst Unter den Linden saßen, sitzen jetzt noch viel weiter unten, falls sie überhaupt noch sitzen und es unter den

Trümmern noch Unterstände gibt, in die man sich verkriechen kann.

Trotz solcher Betrachtungen: Ich wollte zurück, zurück nach Europa. Eines Tages wurde ich tatsächlich auf ein Truppenschiff befohlen, und ehe ich mich versah, waren wir unterwegs nach England. Ich war selig. Weil wir Minen umfahren und Luftangriffen ausweichen mußten, dauerte die Fahrt ungefähr zwei Wochen. Dann erreichten wir England, und kurz danach wurde unser Truppenteil nach Paris geflogen. Anfang 1945 – der Krieg war noch nicht zu Ende – überschritt ich als Staff Sergeant einer amerikanischen Aufklärungskompanie die deutsche Grenze.

Die meiste Zeit des Jahres 1945 verbrachte ich in München, mit kurzen Aufenthalten in Frankfurt und Berlin, wo ich stundenlang herumwanderte, um das Haus zu suchen, in dem ich aufgewachsen war. Aber nur das Haus, in dem mein Vater sein Geschäft hatte, stand noch. Besessen durchstreifte ich nachts die gespenstische Ruinenlandschaft, was ich bei aller Niedergeschlagenheit, die dieser Anblick in mir hervorrief, zugleich als sehr abenteuerlich empfand. Rachegefühle blieben mir fremd.

München brachte viel Helligkeit. Ich wurde schon bald aus der Armee entlassen und bekam aufgrund meiner journalistischen Erfahrung einen Job beim State Department. Als amerikanischer Ziviloffizier – ich hatte den assimilierten Rang eines Oberstleutnants – wurde ich sehr komfortabel untergebracht, in der eleganten Villa der C.H. Beckschen Verlagsbuchhandlung in der Biedersteiner Straße in Schwabing. Ein Kollege, der im gleichen Haus wohnte, meinte, unser Komfort gründe ironischerweise auf dem *Untergang des Abendlandes*, dem berühmten Buch von

Oswald Spengler, einem der großen Verlagserfolge von Beck. Das Kasino, wo wir vorzüglich verpflegt wurden, war im Haus der Kunst, das ein sympathischer Herr Ade leitete, der an diesem Ort später wichtige Ausstellungen veranstaltete.

Unsere Aufgabe war es, eine Zeitschrift herauszugeben, die nach dem Vorbild des amerikanischen Magazins *Life* konzipiert sein und gleichzeitig für die Umerziehung der Deutschen sorgen sollte. Wir nannten unsere Zeitschrift *Heute*, und ich denke, wir haben gute Arbeit geleistet, sowohl was die journalistische Qualität des Blattes als auch was die Reeducation anging. Ironischerweise wurde unsere Zeitschrift auf den Pressen des *Völkischen Beobachters* in der Schellingstraße gedruckt.

Angesichts der Not, die in Deutschland nach dem Krieg herrschte, waren die Amerikaner um so privilegierter. Wir wurden mit allem versorgt, was die Deutschen entbehren mußten, wir hatten Treibstoff für unsere Wagen, wir hatten Alkohol, Zigaretten, Butter, Fleisch und Eier. Gern ließ ich an diesem Luxus deutsche Freunde und Mitarbeiter teilhaben, und da ich über meinen eigenen Jeep mit Fahrer verfügte, profitierten davon viele Familien bis hinauf nach Würzburg und Frankfurt.

Zu den Mitarbeitern unserer Zeitschrift gehörte auch Erich Kästner. Er war damals wohl recht froh, in einem Büro zu sitzen, das gut geheizt war und wo man ihn in Frieden ließ. Nach Jahren der Zensur konnte er endlich das schreiben und veröffentlichen, was er für richtig hielt. Er gefiel mir sofort, und seine warmherzige Art machte ihn mir doppelt sympathisch. Weihnachten 1946 schrieb er mir in einen seiner Gedichtbände, *Bei Durchsicht meiner Bücher*, als Widmung:

Ein guter Mensch zu sein,
gilt hierzulande
als Dummheit, wenn nicht gar
als Schande.

Meine Tätigkeit für die Zeitschrift *Heute* war, so würde ich rückblickend sagen, der Höhepunkt meiner bis dahin oft unterbrochenen journalistischen Karriere. Ich empfand die Arbeit, die auf das Engste mit der politischen Situation im Nachkriegsdeutschland verknüpft war, als besonders stimulierend. Wie schon in San Francisco, schrieb ich Berichte aus der Kunstszene, etwa über die große Beckmann-Ausstellung der Galerie Günther Franke im Sommer 1946 in der Stuckvilla. Unter dem Titel *Angekreidet* publizierte ich Glossen und Impressionen über das Tagesgeschehen. Diese Kolumnen waren ihrer Offenheit wegen allgemein recht beliebt – und bei einigen wohl ebenso gefürchtet.

Das eine oder das andere hat wohl dazu beigetragen, daß der Verleger Heinrich Maria Ledig mit dem Vorschlag an mich herantrat, eine Auswahl meiner für die Zeitschrift *Heute* geschriebenen Glossen zu publizieren. Nachdem ihm die Alliierten die Lizenz zur Neugründung des Rowohlt-Verlages erteilt hatten, veröffentlichte Ledig, den ich scherzhaft den »Verlediger« nannte, als eines seiner ersten Bücher eine Sammlung meiner Essays, in denen ich auf pointierte und ironische Weise deutsche Charakterzüge aufgespießt hatte.

Im täglichen Umgang mit den Deutschen verspürte ich bei ihnen einen Grad der Verunsicherung, der mich selbst manchmal stark irritierte. Die meisten litten unter dem Verlust der ihnen zwölf Jahre lang oktroyierten, allzuoft aber auch willig befolgten Ideologie, und im Vakuum der ersten Nachkriegszeit taten sie sich schwer mit der Wiederanknüpfung normaler Beziehungen. Das »tausendjährige« Ressentiment saß tief, und die meisten wußten sich nur mit Mühe allmählich davon zu befreien.

Kulturarbeit, meine Aufgabe im Rahmen der Zeitschrift, war immer auch Erziehungsarbeit im Sinne der amerikanischen Reeducation. Deren hochgesteckten Zielen, ein Volk, das keinerlei demokratische Traditionen kannte, binnen kurzem auf eine freiheitliche Grundordnung einzuschwören, begegnete ich allerdings von Anfang an mit Skepsis. Mir ging es um die einfachen, konkreten Dinge, etwa darum, den Lesern zu sagen, daß Max Beckmann keineswegs »entartete« Kunst war, sondern bemerkenswerte Malerei, mit der sich die Deutschen vertraut machen sollten. So schrieb ich:

Schon in Beckmanns frühen Arbeiten aus den Jahren vor dem Ersten Weltkrieg spürt man den Maler, dessen Eigenwilligkeit und Vitalität sich mit dem Farbig-Spielerischen des Impressionismus nicht zufriedengibt. Der Krieg selbst und die chaotischen Nachkriegsjahre wirtschaftlicher und moralischer Inflation bringen die volle Wucht des jungen Künstlers zum Durchbruch. Er sprengte die Fesseln der Konventionen. Was in ihm steckt, muß heraus, und zwar so, wie er es empfindet, grell und stark und ohne Rücksichtnahme. Was er malt, ist nicht ein Abbild kühler Reflexionen, sondern das elektrisierte Zeugnis unmittelbarer heftigster Stellungnahme. Leben und Kunst wird eines: Selbstausdruck und Urteil an der Umwelt.

Beckmann, der damals noch in Amsterdam lebte, bevor er im Sommer 1947 nach Amerika ging, schien angetan von meinen Artikeln. Leider sind wir uns persönlich nie begegnet. Es blieb bei einer kleinen Korrespondenz – und bei einer Erwähnung in Beckmanns Tagebuch: »Dolle Sache da in München, 81 Bilder im Stuckpalais mit 400 Personen, darunter Pierre und Minna und eine Eröffnungsrede von Hausenstein. Verrückt traumhaft. Man will mich nach München berufen, und American Bergrün [sic] schreibt großen Artikel in seiner Zeitschrift (350 000 Auflage).«

Defregger, Marc und das Vakuum der Seele

Der fliegende Wechsel von der diffamierenden Unterdrükkung abstrakter Kunst zur plötzlichen Begeisterung der Deutschen für alles Moderne schien mir recht opportunistisch. In einer vignettenhaften Dialogsituation mit dem Titel *Defregger, Marc und das Vakuum der Seele* habe ich versucht, diesen Umdenkungsprozeß in seiner ganzen Ambivalenz zu skizzieren. Da es sich um ein Stück skurriler Zeitgeschichte handelt, das in der Wirklichkeit durchaus seine Entsprechungen hatte, will ich den Text hier in voller Länge zitieren.

»Ja, sagen Sie mal, Herr Professor, sieht man Sie auch wieder! Wir dachten, Sie seien noch evakuiert.«

»Evakuiert! Evakuiert! Man muß doch endlich mal wieder unter Menschen kommen. Und meine Arbeit schreit förmlich nach mir.«

»Ihre Spitzweg-Studie?«

»Spitzweg ist passé, ich bitte Sie! Wer interessiert sich heute noch für Spitzweg! Abgestandene Romantik. Außerdem viel zu deutsch im Moment!«

»Aber Sie waren doch ein so großer Verehrer der deutschen Romantik.«

»Man ändert sich. Man emanzipiert sich. Man überwindet. Die Ästhetik, meine Gnädigste, ist etwas Lebendiges, Kunst läßt sich nicht einzäunen und beschränken. Zur Zeit befasse ich mich mit den Modernen.«

»Den Modernen?«

»Den Ultra-Modernen, sollte ich sagen. Haben Sie nicht gelesen: Ich bin gerade in den Arbeitsprozeß des ›Vereins für extreme Kunst‹ gewählt worden.«

»Wie interessant! Erzählen Sie.«

»Ach Gott, man tut, was man kann. Im Augenblick haben wir uns ganz auf die Abstrakten geworfen. Es ist die Konjunktur. Unerhört ergiebig.«

»Sie meinen also, auch die Kunst sei Moden und Konjunkturen unterworfen?«

»Die Kunst, meine Verehrteste, ist frei. Die Kunst kennt keine Moden. Im Moment betonen wir das Abstrakte, weil das ganze Schwergewicht unseres Lebens sich ins Abstrakte verlagert hat. Wir lösen uns von der Materie, vom Gegenständlichen. Wir finden neue Visionen in einer Welt von Formen und Farben, die, in sich bezogen, Genüge finden. Verstehen Sie das?«

»Nicht ganz.«

»Um so besser. Denn das gerade ist das Geheimnis: daß man das Wesenseigene der neuen Kunst suchen muß, daß man es nicht ohne weiteres erfaßt. Glauben Sie mir, es ist unerhört erregend, wir sind alle zutiefst aufgewühlt.«

»Herr Professor, Sie faszinieren mich. Aber ist das denn etwas ganz Neues? Vor zwanzig Jahren, als ich zum erstenmal in Ihre Vorlesung ging – das war lange bevor Sie sich auf Spitzweg und Defregger konzentrierten –, berauschten Sie unsere jungen Gemüter mit dem Werk der Entarteten ...«

»Sprechen Sie dieses Wort nicht aus, Unselige!«

»Aber Sie selbst gebrauchen es doch – nicht damals, aber zehn Jahre später. Sie sagten, Marc sei ein Degenerierter, der im Veitstanz der Farbe sich totgerannt habe, und jemand, dessen Name wie der Kandinskys auf -insky ende, sei eo ipso zum Börsianer und Pelzhändler prädestiniert, nicht aber zu einem, den der Funke des Allmächtigen ...«

»Hören Sie auf, meine Dame, sprechen Sie nicht weiter. Dilettantin, die Sie sind, haben Sie mich total mißverstanden.«

»Aber es waren doch Ihre eigenen Worte. Ich kann Ihnen noch jetzt die Kollegbücher zeigen.«

»Ich erinnere mich nicht. Ich weiß nur, daß es jetzt wieder um das Abstrakte geht, um köstliche Kreise und Quadrate, die ›Mondnacht‹ heißen und ›Verstecktes Liebesspiel‹. Es ist der große, gewaltige, vom Kontrollrat gebilligte Schrei des Tages: Abstrakt! Abstrakt! Abstrakt!«

»Und wann wird die erste Ausstellung Ihres ›Vereins für extreme Kunst‹ eröffnet?«

»In vierzehn Tagen. Es wird eine Sensation werden. Wir werden Kunstsachverständigen unserer Siegermächte schlagartig beweisen, wie wir mit Pinsel und Griffel bereit sind, an der künstlerischen Front für die schöpferische Neuerziehung unseres armen irregeführten und verwirrten Volkes zu kämpfen. Kein Bild wird in dieser Ausstellung zu sehen sein, dessen Inhalt sich erkennen oder erklären läßt. Manche Bilder – bitte, bedenken Sie die Kühnheit unserer Pläne – werden mit der bemalten Leinwand gegen die Wand hängen, so daß man von rückwärts betrachtend sie nur erahnen kann.

Die Ausstellung wird 140 Gemälde umfassen, darunter mehrere, welche die Besucher unter meiner inspirativen Anleitung an Ort und Stelle malen werden.«

»Herr Professor, das klingt toll originell. Wie werden Sie das nur machen?«

»Ganz einfach. Jeder dreißigste Besucher, ob Mann, Frau oder Kind, rheumatisch oder Linkshänder, wird vor eine Staffelei geschleppt, bekommt die Augen verbunden und einen Pinsel in die Hand. In dreißig Minuten wird ihm Gelegenheit geboten werden, in dieser intuitiven Kompositionsorgie seinen Beitrag für die kulturelle Erneuerung und die seelische Abtragung der Kollektivschuld unseres Volkes zu leisten.«

»Und Sie meinen, das wird klappen?«

»Das muß klappen. Die Kunst ist aus dem Bürgerlich-Formalen herausgewachsen. Ein neuerer, freierer Geist regt sich. Das Gegenständliche gehört ins Wachsfigurenkabinett. Franz Marc, der gleiche, den Sie vorhin zitierten, ist längst überholt. Jugendstil. Wandervogel. Sentimentale Verkleisterung. Was malte er schon? Blaue Pferde. Eine rote Kuh. Wieso überhaupt Pferde malen oder eine Kuh?«

»Wie aufregend! Wie entsetzlich aufregend! Und vor allem: wie originell, Herr Professor!«

»Sie schmeicheln mir, Verehrteste. Man tut halt, was man kann. Wenn es am Konkreten fehlt, an der Substanz gewissermaßen, muß man in die Abstraktion hineinsublimieren. Das ist doch logisch.«

»Hinreißend logisch, Herr Professor. Ich sehe schon, wie sich die Kunstbeflissenen förmlich verbeißen werden in eine Darstellung, die ›Schale mit Früchten‹ heißen wird. Und dabei wird man nur grüne und rote Linien und hier und da ein paar blasse Pünktchen sehen.«

»Ganz richtig. Sie haben es gut erfaßt. Sie waren ja auch schon in meinem Defregger-Kurs eine meiner begabtesten Hörerinnen. Und, bitte, kommen Sie zu unserer Eröffnung, ich werde selbst die Einführungsworte sprechen! Über das Abstrakte als das Vakuum der Seele. Ein bißchen ungewöhnlich als Thema, aber sehr aktuell. Und nebenbei gesagt: Mit Defregger werde ich gründlich aufräumen.«

Das Buch, in dem der hier zitierte Dialog veröffentlicht wurde, erschien 1947 unter dem gleichen Titel wie meine Glossen, *Angekreidet*. Interessant aus heutiger Sicht sind nicht zuletzt die kleinen blockartigen Einschübe, die ich zwischen die einzelnen Essays setzte. Es handelte sich um Zeitungsannoncen, Agenturmeldungen und offizielle Verlautbarungen, die mir bei meiner täglichen Lektüre in der Redaktion aufgefallen waren und die ich gleichsam als stimmungsvolle Illustrationen verwendete.

Kurios fand ich zum Beispiel folgende Anzeige im *Börsenblatt für den Deutschen Buchhandel* vom 20. September 1946: »Überprüfung von Romanen, Erzählungen und ähnlicher Literatur auf Eignung in demokrat. Sinne (Ausmerzung nazistischer und militaristischer Tendenzen), sowie Beratung und Umarbeitung f. Neuauflagen, auch Durcharbeitung von Bibliotheken usw. übernimmt in gewissenhafter Ausführung: Lekt. Steinberg, Düsseldorf, Achenbachstraße 9.«

45 Jahre später, im Zuge der Wiedervereinigung, wurden in ostdeutschen Zeitungen und Zeitschriften noch einmal ganz ähnliche Serviceleistungen angeboten. Wie überhaupt die Parallelen verblüffend sind, etwa in folgender Meldung: »Franz Haselmeyer-Odenbach aus Berlin-

Dahlem wurde wegen Fragebogenfälschung zu fünf Jahren Gefängnis und 25 000 Mark Geldstrafe verurteilt. Er hatte vergessen, daß er Mitglied der NSDAP und 1935/36 Gauführer der Partei in Hessen gewesen war.«

Im *Darmstädter Echo* war folgende Anzeige erschienen: »Junge Dame, Büroangestellte, gibt Abendstunden in Demokratie nach sechs«. Das streifte ebenso das Kabarettistische wie folgende Meldung: »Der dreijährige Sohn eines Münchener Studienrates verschluckte beim Spielen ein Parteiabzeichen. Als er sich am nächsten Tag selber wieder ›säuberte‹, sagte sein Vater: ›Wenn's nur bei mir auch so einfach ginge.‹«

Im allgemeinen nahmen die Deutschen ihre Situation gelassen, wobei sie sich einen Galgenhumor zu eigen machten, der sie auch über die schlimmsten materiellen Entbehrungen hinwegtröstete: »Der Leiter des Bezugsscheinamtes Düsseldorf erklärte, daß nach dem gegenwärtigen Stand jeder männliche Einwohner der Stadt alle 96 Jahre einen neuen Anzug, alle 18 Jahre neue Unterwäsche erwerben könnte. Um alle Einwohnerinnen der Stadt mit Mänteln zu versorgen, müßten 350 Jahre vergehen.«

Aber schnell schlug auch wieder ein typisch deutscher Dünkel durch, der sich etwa durch Hinweis auf Bildung zu exkulpieren hoffte: »Bei den Aufräumungsarbeiten in der Berliner Reichskanzlei wurde ein Katalog der Bibliothek Hitlers gefunden. Die Abenteuerliteratur ist mit 132 Bänden vertreten, darunter das von Hitler bevorzugte Buch ›Der Letzte der Mohikaner‹, das er gewöhnlich einmal im Jahre zu lesen pflegte. Die Werke Goethes fehlten.«

Die Beispiele mögen genügen. Sie machen deutlich, was ich mit dieser Collage, dem Verknüpfen von Meldungen und Informationen mit eigenen Texten, bezweckte. Das

Formelhafte dieser Annoncen und kurzen Depeschen machte sie oft authentischer als ein noch so gescheiter Leitartikel. Diese Meldungen waren ein Stimmungsbarometer für das, was die Menschen in diesen Jahren wirklich bewegte, und sie legten erbarmungslos bloß, wie es mit dem Verhältnis der Deutschen zu ihrer unmittelbaren Vergangenheit stand.

Das Erscheinen von *Angekreidet* bildete den Schlußstein meiner journalistischen Tätigkeit. Das Ende meiner publizistischen Karriere war zugleich der Anfang meiner neuen Aufgabe als Kunsthändler und Sammler, und die Publikation des Buches markierte genau die Schnittstelle.

V
Les Klee du Paradis

Perspectiv-Spuk

Als ich Deutschland 1936 verließ, war mir die Welt von Paul Klee noch vollkommen unbekannt. Seine ersten Bilder sah ich im Museum von San Francisco, und sie zogen mich sofort in ihren Bann. Ich hatte einen Maler entdeckt, von dem ich bis dahin nichts wußte, und wie jedes Mal, wenn ich in neue Räume der Kunst vordrang, empfand ich dies als eine große Bereicherung.

Auf einer Reise nach New York, die ich mit meiner damaligen Frau unternahm, hatte ich 1940 bei einem Zwischenaufenthalt in Chicago Gelegenheit, von einem deutschen Emigranten, den ich flüchtig kannte, ein Klee-Aquarell aus der Bauhauszeit zu erwerben. Es war eine typische Arbeit des Künstlers, die mich in ihrer Versponnenheit, ihrem Einfallsreichtum und ihrer Sensibilität an Franz Kafka erinnerte, den ich damals ebenfalls gerade entdeckt hatte. Der Titel lautete *Perspectiv-Spuk*. Das Blatt war von 1921, und die eigentümliche Atmosphäre dieser perspektivischen Raumansicht assoziierte ich sofort mit Kafkas *Prozeß*. Ich bezahlte die angemessene Summe von 100 Dollar für das Aquarell, was zu der Zeit viel Geld für mich war.

Perspectiv-Spuk sollte der Grundstein meiner Klee-Sammlung werden. Zugleich war es mein ständiger Begleiter, mein Beschützer, mein Talisman. Ich nahm das

Aquarell überallhin mit; auch als ich in die amerikanische Armee eingezogen wurde und als Soldat nach Deutschland kam, trug ich das Blatt bei mir. Erst als ich einen großen Teil meiner Klee-Sammlung vierzig Jahre später dem Metropolitan Museum vermachte, entließ ich dieses mir so lieb gewordene Werk aus meinem Privatbesitz.

Auf diesem ersten Bild, das ich von Klee erwarb, finden sich bereits alle Elemente, die mich bis heute bei diesem Künstler faszinieren. Aber wie kann ich erklären, warum ich mich bei meiner ersten Begegnung spontan und heftig zu seinem Werk hingezogen fühlte? War es die plötzliche Verpflanzung eines jungen, ganz der Kunst ergebenen Menschen in eine neue, ungewohnte, ganz und gar prosaische Umgebung, die meine Empfänglichkeit für den eigenwilligen, so sensiblen und poetischen Stil des Künstlers begründete? In meinem Unterbewußtsein jedenfalls muß Klees Bild jene emotionalen Schwingungen in Gang gesetzt haben, von denen die glücklichen Jahre meiner Berliner Kindheit und Jugend getragen waren. So nahm im fernen San Francisco eine Liebesgeschichte ihren Anfang, die bis heute anhält.

Wie in den meisten Berufen herrscht auch unter den Künstlern oft große Eifersucht. Dies gilt natürlich in erster Linie für das Verhältnis der Zeitgenossen untereinander, während die großen Künstler der Vergangenheit einen mehr oder weniger akzeptierten Kanon bilden. Von Giotto über Rembrandt bis Cézanne gilt den Meistern uneingeschränkte Bewunderung. Auch Picasso nannte Cézanne »den Vater von uns allen«. Seinen Zeitgenossen aber brachte er, von Ausnahmen abgesehen, kaum Achtung entgegen.

Zu den wenigen Ausnahmen zählte, neben Matisse und Miró, Paul Klee. Picasso schätzte ihn sehr, und als er in den späten dreißiger Jahren auf einer seiner seltenen Auslandsreisen nach Bern zu Bernhard Geiser fuhr, mit dem er am Werkverzeichnis seiner Graphik arbeitete, nahm Picasso die Gelegenheit wahr, Klee einen Besuch abzustatten. In meinem Verhältnis zu Picasso erfüllte mich dessen Wertschätzung für den Kollegen mit Freude und Genugtuung: Der von mir am meisten bewunderte lebende Künstler teilte meine Liebe zu Paul Klee. Die beiden sind in meinen Augen die zentralen Schöpfer der ersten Hälfte unseres Jahrhunderts.

Wie aber kam es zu meiner Beziehung zu Klee? Welche Kräfte waren es, die mich über die Jahre immer stärker zu seinem Schaffen hinzogen? Klee selbst hat in zahlreichen Schriften, Tagebüchern, Vorlesungen und Essays seine Gedanken klar formuliert. In seinen Bildern, heißt es einmal, beschäftige er sich nicht mit unserer Alltagswelt, sondern mit der Welt jenseits der alltäglichen Realität. »Diesseits«, schreibt Klee, »bin ich gar nicht faßbar. Denn ich wohne gerade so gut bei den Toten wie bei den Ungeborenen. Etwas näher der Schöpfung als üblich und noch lange nicht nahe genug.«

Wunderbare Worte. Klees Welt, wie ich sie sehe, ist so wenig abstrakt, wie er selber ein abstrakter Maler war. Es ist eine Welt, die uns mit dem, was uns umgibt, verknüpft und uns doch zugleich entrückt. Es ist eine Welt der Geheimnisse, der Phantasmagorien und Träume, eine Welt, die magisch, aber niemals willkürlich, die differenziert, aber niemals offensichtlich ist. Klee nimmt uns sanft bei der Hand, als wolle er sagen: »Hier, schaut euch um, dies ist mein Reich.« Es ist eine Welt der Stille und der leisen Klänge, der Poesie und der gedämpften Musik. Dieses verborgene und trauliche Reich hält für alle, die es

Paul Klee, Dessau 1926

betreten, ständig neue Entdeckungen und Überraschungen bereit.

Nachdem es mich einmal mit magnetischer Kraft in dieses Kleesche Universum gezogen hatte, lernte ich andere kennen, die Paul Klee ebenso uneingeschränkt ergeben, ja die ihm verfallen waren. Seine Kunst wurde ihnen regelrecht zur Droge, und wer es sich leisten konnte, setzte alles daran, seine Sammlung durch immer neue Werke zu vergrößern und zu bereichern. Diese Klee-Fans bilden einen Klub, für den es weder Gesetze noch Satzungen gibt. Jeder dieser »happy few« steht unter dem Zauber seines Idols, jeder von ihnen weiß, was Klee meinte, als er 1920 in seiner *Schöpferischen Konfession* schrieb: »Kunst gibt nicht das Sichtbare wieder, sondern macht sichtbar«.

Einer der glühendsten Verehrer und Sammler Klees, ein Amerikaner deutscher Herkunft, Frederick Schang, den ich kurz nach meiner ersten Klee-Ausstellung in Paris kennenlernte, benutzte in seinen Briefen an mich und andere Klee-Besessene stets die Anrede »*Dear Klee-Mate*« (»Lieber Klee-Partner«), ein Wortspiel, das sich auf den amerikanischen Ausdruck *Playmate* bezieht. Von Schang zu den eingeweihten Klee-Mates des Geheimklubs gerechnet zu werden, erfüllte mich mit Stolz. Alle seine Briefe an mich fingen an: »*Dear Heinz, dear Klee-Mate ...*«

Die erste Ausstellung meiner Galerie in Paris, die vom 14. Februar bis 8. März 1952 dauerte und deren bescheidener Katalog bereits das schmale Hochformat (22×11,5 cm) aufwies, das später zu einem Markenzeichen meiner Ausstellungen wurde, widmete ich dem von mir so verehrten Berner Maler. Es wurden 24 graphische Arbeiten gezeigt (Radierungen und Lithographien), und es war die erste

Ausstellung von Klee-Graphik in Paris. Später veranstaltete ich alle zwei bis drei Jahre eine Klee-Ausstellung, und heute weiß ich, daß es die eindrucksvollsten Präsentationen meiner Galerie waren.

Wann immer eine Klee-Ausstellung eröffnet wurde, standen die Besucher früh morgens vor der Galerie und warteten auf Einlaß. Wir öffneten bereits um neun Uhr, sehr früh für Pariser Verhältnisse, und zeigten – je nach Thema – Zeichnungen, Aquarelle, Gemälde, Beispiele aus allen Schaffensperioden. Ich selbst fühlte mich am stärksten von den Arbeiten aus der Bauhauszeit (1921–1930) angesprochen.

Die Ausstellung, die mir am meisten am Herzen lag, zu der es aber nie kam, wollte ich unter dem verführerischen Titel *Les Klee du Paradis* veranstalten. Das französische Wort *clefs*, das wie der Name Klee ausgesprochen wird, bedeutet »Schlüssel«, und ich bin überzeugt, daß Klee diese spielerische Verbindung seines Namens mit dem Paradies gefallen hätte. »Die Schlüssel zum Paradies« – das wäre sicherlich in seinem Sinne gewesen.

»Felix gut eingetroffen«

Paul Klee, der Meister der Kammermusik, war am 29. Juni 1940 gestorben. Fünf Jahre später – ich war in München bei der Zeitschrift *Heute* tätig – nahm ein Ereignis seinen Lauf, dessen Ausgang ich im Rückblick nur als gespenstisch bezeichnen kann.

In New York gab es damals drei aus Deutschland emigrierte prominente Kunsthändler, zu denen ich gute Kontakte unterhielt: Curt Valentin, I. B. Neumann und Karl

Nierendorf. Mit Nierendorf, einem behenden, vor Energie sprudelnden Mann mit einer großen Hornbrille in einem kleinen runden Gesicht, verstand ich mich am besten. Als ich 1945 in Deutschland lebte, bat er mich regelmäßig, Verschiedenes für ihn zu erledigen, vor allem in bezug auf Otto Dix, der ein Freund von ihm war und dessen Werk er förderte.

Nierendorf stand auch in freundschaftlicher Verbindung mit Lily Klee, der Witwe des Malers. Sie war verzweifelt auf der Suche nach ihrem einzigen Sohn, den man als deutschen Staatsangehörigen zur Wehrmacht eingezogen hatte. Offenbar befand sich Felix in russischer Kriegsgefangenschaft, wenn er überhaupt noch am Leben war. (Paul Klee blieb, obwohl er in der Schweiz geboren wurde und aufgewachsen ist und obwohl er die letzten zehn Jahre seines Lebens in Bern verbrachte, bis zu seinem Tod Deutscher. Sein Antrag auf die Schweizer Staatsbürgerschaft wurde – Ironie des Schicksals – kurz nach seinem Tod von den Behörden in Bern genehmigt. Auch sein Sohn Felix war Deutscher und als solcher wehrpflichtig.)

Während sich Lily Klee bei Kriegsende die größten Sorgen um ihren Sohn machte, war ich von Nierendorf informiert worden, daß Felix allem Anschein nach noch am Leben war. Über die internationalen Hilfsorganisationen hatte man Felix mitteilen lassen, daß er sich bei seiner Freilassung an mich wenden solle. Eines Tages stand er dann tatsächlich vor meiner Tür, abgerissen, abgemagert, unrasiert, doch nah der Heimat. Felix war glücklich, daß jemand bereit war, sich um ihn zu kümmern. Die Badewanne mit heißem Wasser, die ich ihm anbot, einschließlich Schwamm und Seife, empfand er als höchsten Luxus.

Wichtig war vor allem, seiner Mutter so rasch wie möglich die gute Nachricht seiner Rückkehr zukommen zu lassen. Er selber konnte das nicht, denn jeder Kontakt ins Ausland war den Deutschen streng untersagt. Die Amerikaner hatten ihre eigene Post, und so schickte ich ein Telegramm an Lily Klee in Bern: »FELIX GUT EINGETROFFEN STOP IN BESTER GESUNDHEIT STOP FREUNDLICHE GRUESSE HEINZ BERGGRUEN«.

Was sich in Bern abspielte, wurde mir wie folgt berichtet:

Der Telegraphenbote klingelt bei Lily.

»Was gibt's?« fragt sie unruhig durch die Tür.

»Ein Telegramm, Frau Klee.«

Lily, außer sich, öffnet die Tür, reißt das Telegramm auf, liest – und fällt tot um.

Zwei oder drei Jahre später nahm Karl Nierendorf in New York an einem Abendessen bei Grete Mosheim teil, einer prominenten Schauspielerin aus Deutschland. Er erzählte die Geschichte, wie Felix Klee zu mir kam, wie ich das Telegramm nach Bern schickte, wie Frau Klee die Tür öffnete, das Telegramm las und tot umfiel.

Als Nierendorf die Geschichte erzählt hatte, fiel er selbst vom Stuhl und war auf der Stelle tot.

Felix Klee ging, sobald er die Genehmigung dazu erhielt, zurück in die Schweiz. Dort hatte er zunächst eine sehr unerfreuliche Auseinandersetzung mit einer Gruppe wohlhabender Berner Bürger, die sich zu einer sogenannten Klee-Gesellschaft zusammengeschlossen hatten. Diese Klee-Gesellschaft war nach dem Tod des Künstlers mit der Absicht gegründet worden, sein Werk zu verwalten und zu fördern und der Witwe beizustehen. Die Rückkehr des

verlorenen Sohnes war unerwartet – und wohl auch un-
erwünscht. Man hatte offensichtlich damit gerechnet, daß
er in russischer Gefangenschaft verschwunden war und
daß man ihn niemals wiedersehen würde.

Wie dem auch sei, die Mitglieder der sogenannten Klee-
Gesellschaft befanden, daß sie im Interesse des Werkes
selbständig und uneingeschränkt über den Nachlaß Klees
verfügen müßten. Später kam dann der Verdacht auf, daß
manche der dezidierten Klee-Sammler sich persönlich gelegentlich »bedient« hätten – um es vorsichtig auszudrük-
ken. Als dann Felix Klee aus Rußland auftauchte, machten
die ehrenwerten Berner Bürger lange Gesichter. Von tüch-
tigen Anwälten beraten, hat Felix den jahrelangen Prozeß
gegen sie am Ende gewonnen. Die Gesellschaft in ihrer damaligen Form wurde aufgelöst, und Felix kam wieder in
den Besitz der Werke seines Vaters, die sich im Nachlaß befanden.

1990 ist Felix Klee gestorben. Heute kümmert sich sein
Sohn Aljoscha, den ich seinerzeit als kleines Kind kennenlernte, mit Umsicht und Kompetenz um das Erbe des Groß-
vaters. Er ist der Präsident der Klee-Gesellschaft.

VI
Anfänge in Paris

Die drei Schwestern

Wie kommt ein junger Mann Anfang Dreißig von Berlin
über San Francisco nach Paris? Ich habe mich das oft selber
gefragt, ohne eine schlüssige Antwort zu finden, ebensowenig wie ich genau bestimmen könnte, wann und durch
welches »Ereignis« ich endgültig den Weg vom Journalismus zum Kunsthandel fand. Es lag wohl in meiner Entwicklung, und will man pathetische Begriffe wie Schicksal
vermeiden, spricht man besser von Zufällen, die sich auf
eine für mich glückliche Weise zueinanderfügten, so daß
am Ende tatsächlich so etwas wie ein Ideal herauskam: ein
Leben als Sammler und Kunsthändler in jener Stadt, die
seit dem 18. Jahrhundert als Inbegriff europäischer Kultur
und spätestens seit der Jahrhundertwende als Mekka der
modernen Kunst galt.

Schon als Redakteur in München hatte ich mit Menschen zu tun, die sich nicht nur für bildende Kunst interessierten, sondern entweder selber Künstler oder Kunsthändler waren oder Kunst sammelten. Viele von denen, die
Bilder besaßen, hatten damals freilich andere Sorgen als
den Ausbau ihrer Sammlungen; in diesen schweren Zeiten
brauchten sie alles andere dringender als Gemälde. Einer
von ihnen war der Schauspieler Gustaf Gründgens, dem,
wie den Deutschen überhaupt, damals noch jeglicher Kontakt zum Ausland untersagt war.

Gründgens hatte zwar aus der Vorkriegszeit Beziehungen zu einigen Kunsthändlern in der Schweiz, war nun aber völlig von ihnen abgeschnitten. So war er gezwungen, eine Person seines Vertrauens zu finden, die die Privilegien der Besatzungsmächte genoß und die Veräußerung seiner Bilder in die Wege leiten konnte. Das tat ich gerne, und dabei machte ich nicht nur die Erfahrung, daß sich solche Transaktionen mit meinem amerikanischen Paß problemlos arrangieren ließen, sondern auch, daß mir diese Tätigkeit viel Spaß bereitete. Unter den Schätzen, die Gründgens mir anvertraute, befand sich ein reizvolles Pastell von Renoir, das Fritz Nathan, ein prominenter Züricher Kunsthändler, übernahm.

Ich erkannte meine Chance darin, daß es nach dem Krieg nur wenige Händler gab, die sich intensiv mit Kunst befaßten, und noch seltener waren die, die eine wirklich leidenschaftliche Beziehung zur Kunst hatten. Andererseits fanden sich für Maler und Bildhauer wenig Absatzmöglichkeiten und wenig Gelegenheiten, ihre Arbeiten zu zeigen. Weil ich zu vielen Künstlern einen guten Kontakt entwickelte und sie ihrerseits merkten, daß ich ein ernsthaftes Interesse an ihren Arbeiten besaß, waren die Voraussetzungen, professionell in den Kunsthandel einzusteigen, günstig.

Meine ersten, in München begonnenen Vermittlerdienste waren privater Natur, aber sie gaben mir doch ein Gefühl für die Sache und vermittelten mir einen Eindruck von dem Potential, das sich auf diesem Gebiet erschließen ließ, wenn man es nur richtig machte. Als eines Tages davon gesprochen wurde, unsere Zeitschrift einzustellen, weil die Deutschen genügend entnazifiziert seien – waren sie es wirklich? – und in Zukunft ohne Anleitung der Amerikaner publizieren könnten, packte ich kurzentschlossen meine Koffer und fuhr nach Zürich. Was ich dort konkret tun wollte, war mir allerdings überhaupt nicht klar. Kunsthandel wollte ich betreiben, aber wie und wo? Die ersten Gespräche waren nicht eben ermutigend. Das Leben war teuer, die Eidgenossen waren mißtrauisch, und binnen kurzem gewann ich den Eindruck, daß die Schweizer nicht auf mich gewartet hatten.

So faßte ich es als einen Wink des Schicksals auf, als ich bald nach meiner Ankunft in Zürich einen Brief von Grace McCann Morley erhielt, der Direktorin der Kunstabteilung der UNESCO in Paris. Die UNESCO war gerade erst gegründet worden. Mrs. Morley, die vor dem Krieg das San Francisco Museum of Art geleitet hatte, erinnerte sich an mich und bot mir einen Posten in ihrer Abteilung an.

Ich sagte sofort zu, meine Kunsthandelspläne wurden vorerst auf Eis gelegt. Am meisten lockte mich die Aussicht, in Paris zu leben, aber auch die materiellen Bedingungen hätten kaum besser sein können; da ich für eine internationale Organisation arbeitete, war mein an sich schon gutes Gehalt überdies steuerfrei. Außerdem hatte ich Zugang zu vielem, was für Franzosen in der unmittelbaren Nachkriegszeit ebensowenig erhältlich war wie für Deutsche. 1947 fehlte es in Frankreich noch an allem, und mit dem Wiederaufbau ging es nur schleppend voran. Ich dagegen bekam einen Wagen, durfte tanken, soviel ich wollte, und konnte rund um den Globus telefonieren.

Doch schon nach kurzem begann mich meine neue Tätigkeit zu langweilen. Ich hatte sehr viel Verwaltungsarbeiten zu erledigen, was mir überhaupt nicht lag. Hinter dem Schreibtisch zu hocken und als Kunstexperte aufzutreten, empfand ich als einigermaßen steril. Offiziell lautete mein

Auftrag, zu kulturellen Problemen in den Mitgliedsländern der UNESCO Stellung zu nehmen, Ausstellungen vorzubereiten und Kulturveranstaltungen zu konzipieren. Das hörte sich interessant an, konkret aber bestand meine Tätigkeit darin, Memoranden von einem Büro zum anderen zu schicken. Diskret begann ich mich nach etwas anderem umzusehen.

Nicht weit von meinem Büro, in einer Seitenstraße der Champs-Elysées, gab es eine Kunstbuchhandlung, *Quatre Chemins*, die ich öfter besuchte. Sie wurde von drei kleinen Russinnen geführt, die direkt Tschechows *Drei Schwestern* hätten entsprungen sein können. Die Damen Gawrilowitsch waren altmodisch in schwarz gekleidet und ebenso zurückhaltend wie zuvorkommend. Alle drei sprachen Französisch mit slawischem Akzent, bei dem man einen Anflug von Wehmut verspürte. Ich erzählte ihnen, daß ich mich für moderne Kunst interessierte, und eines Tages machten sie mich auf etwas sehr Seltenes und Kostbares aufmerksam. Sie zeigten mir ein taufrisches, prächtiges Exemplar der großformatigen Mappe mit den zehn Originallithographien der berühmten Serie *Elles* von Toulouse-Lautrec.

Ob ich die Mappe kaufen könne, fragte ich. »Gewiß«, meinten die russischen Damen und nannten als Preis den Gegenwert von etwa tausend Dollar, was mich ziemlich erschreckte. Ich hatte allerdings keine Ahnung, was eine solche Mappe wert sein könnte. Die Damen erklärten mir, daß kürzlich auf einer Auktion bei Parke Bernet in New York – das später von Sotheby's übernommen wurde – ein Exemplar dieser Mappe für 1800 Dollar versteigert worden sei und daß dieses Exemplar wahrscheinlich nicht so frisch erhalten war wie das ihre. (Auf dem heutigen Markt ist *Elles* komplett etwa 500 000 Dollar wert.)

Klee. Hauptweg und Nebenwege. 1929
Museum Ludwig, Köln

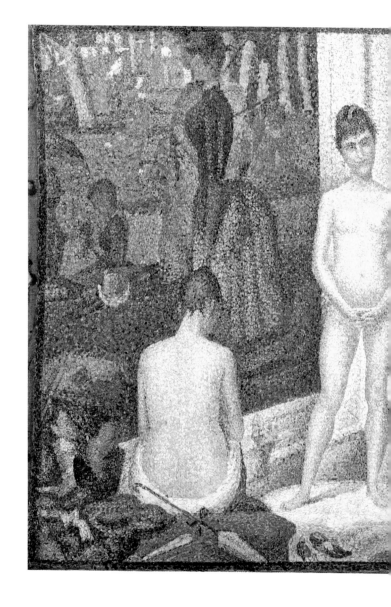

Seurat
Les Poseuses
1888
National Gallery
London,
Berggruen Collection

Klee. Traumstadt. 1921

Die Versuchung, die schöne Lautrec-Mappe zu erwerben, war groß, und so kaufte ich das Exemplar, zwar etwas nervös, aber doch glücklich über meine erste wichtige Erwerbung. Allerdings wußte ich nicht, wohin damit; in meiner kleinen Wohnung war etwas so Wertvolles nicht versichert, und so bat ich die lieben Russinnen, mir die Mappe aufzuheben. Sie willigten ein, und ich besuchte sie dann regelmäßig, um mir meine Lithographien anzuschauen, mit den drei Damen zu plaudern und die gemütliche Atmosphäre bei exquisitem russischem Tee zu genießen.

Etwa sechs Monate später riefen sie mich aufgeregt an. Der bekannte amerikanische Graphiksammler und passionierte Lautrec-Liebhaber Ludwig Charell interessierte sich für meine Mappe. Ich kannte den Namen, da die Brüder Charell vor dem Krieg ein großes Varieté-Theater in Berlin geleitet hatten. Ludwig Charell, einer der Brüder, die inzwischen nach Amerika ausgewandert waren, suchte seit Jahren die *Elles*-Mappe. Die Auflage bestand aus hundert Exemplaren, aber es gab nur noch ganz wenige im Handel, da die meisten Mappen auseinandergenommen worden waren, um die Blätter einzeln zu verkaufen.

Charell wollte die *Elles*-Serie unbedingt erwerben. Über meine russischen Bekannten bot er mir genau das Doppelte von dem, was ich ein halbes Jahr zuvor gezahlt hatte, 2000 Dollar. Das beeindruckte mich so, daß ich dem Verkauf zustimmte. Ich war höchst zufrieden, es war ein blendendes Geschäft. Ohne einen Finger zu rühren, hatte ich meinen Einsatz verdoppelt. Wenn man es nur richtig anstellt, so dachte ich, sich nicht vordrängt, warten kann, vor allem und in erster Linie aber Qualität sucht und bei der Auswahl einen klaren Kurs einhält, dann mußte auf diesem Gebiet manches zu bewegen sein.

Nach dem guten Verkauf der *Elles*-Mappe zögerte ich nicht länger, die UNESCO zu verlassen. Ich war jetzt fest entschlossen, Kunsthändler zu werden. Dabei hätte durchaus noch alles schiefgehen können.

Vom Place Dauphine in die rue de l'Université

In der Rückschau bin ich überrascht, wie oft ich in der ersten Phase meines Lebens Standort und Tätigkeit gewechselt habe, bis ich endlich über viele Nebenwege dahin fand, wo meine wirkliche Berufung lag. Nachdem ich jedoch 1947 begonnen hatte, mich nicht nur intensiv mit bildender Kunst zu beschäftigen, sondern damit auch meinen Unterhalt zu verdienen, blieb ich mein ganzes Leben konsequent dabei, auch als ich viele Jahre später, 1980, die Galerie, die ich gegründet hatte, aufgab, um mich nur noch dem Sammeln zu widmen.

Immer wieder werde ich heute gefragt: »Wie haben Sie das denn gemacht, so aus dem Nichts mit dem Kunsthandel zu beginnen? Wo kam das Kapital her?« Die Antwort ist einfach: Es war gar kein Kapital da. Es gab nur eine Idee, die Überzeugung, daß ich den Handel mit Bildern richtig einzuschätzen vermochte. Außerdem traute ich meinem Gefühl für Qualität und glaubte, im Laufe der Jahre auch eine gewisse Erfahrung gesammelt zu haben.

Einen großzügigen Sponsor zur Finanzierung meines Vorhabens zu suchen, kam für mich nicht in Frage. Das wäre in der Nachkriegssituation ohnehin sehr schwierig gewesen, denn wer hätte schon Lust gehabt, in einen neu zu gründenden Kunsthandel zu investieren. Mein Kapital damals, 1947, war mein Enthusiasmus. Ich hatte Vertrauen in

die Solidität meines Ansatzes. Geschäftsbeziehungen sollten sich erst später, ganz allmählich entwickeln.

In den Anfangsjahren gab es zum Teil erhebliche geschäftliche Schwierigkeiten, nicht immer lief alles so glatt, wie ich
es mir vorstellte. 1955 veranstaltete ich zum Beispiel eine
Ausstellung mit Collagen von Arp. Hans Arp, der in Meudon,
in der Nähe von Paris wohnte, ein charmanter, warmherzi-
ger Mann, freute sich, diese Ausstellung mit mir zu planen.
Sie fand zwar einen gewissen Widerhall bei Kennern des
Arpschen Werkes, aber verkauft wurde nur ein einziges Blatt
– an den deutsch-amerikanischen Sammler Walter Bareiss –,
obwohl ich die Preise sehr zurückhaltend gestaltet hatte.

Auch wenn es in den fünfziger und sechziger Jahren zwischen Galerien und Kunsthändlern noch nicht die gnaden-
lose Konkurrenz gab, die man heute beobachten kann, so
war doch eine gewisse Rivalität auch damals schon spürbar.
Sicherlich haben sich manche Leute den Kopf darüber zer-
brochen, wie meine rasche Etablierung in Paris möglich
war, woher meine Aktivität rührte und wie ich das alles
schaffte. Sie wunderten sich wohl um so mehr, als ich von
außen kam, ohne Reputation und Hintergrund.

Ich rechne es den Franzosen hoch an, daß sie mich als
Ausländer von Anfang an uneingeschränkt akzeptierten.
Sie stellten keine provozierenden Fragen, es gab keine chau-
vinistischen Bemerkungen. Auf solche Attacken hätte ich
wahrscheinlich ziemlich verunsichert, vielleicht auch erregt reagiert, aber ich erinnere mich an keine unangeneh-
me Situation. Wie es bei mir finanziell lief, das allerdings
brachte die Leute immer wieder ins Grübeln.

Zu Beginn meiner Tätigkeit hatte ich als Ausländer ad-
ministrativ nicht das Recht, eine Galerie zu leiten. Die

Klippe verstand ich zu nehmen. Da ich offiziell meine Galerie nicht leiten durfte, räumte ich meiner Sekretärin nicht nur das Recht ein, Briefe zu unterschreiben, sondern gab ihr auch die Vollmacht, Schecks auszustellen. So hoffte ich, in der juristischen Grauzone zu überwintern, bis die Situation geklärt war. Meine sympathische Sekretärin, jung, begabt, engagiert, die Tochter eines jüdischen Zahnarztes, der als Emigrant aus Deutschland nach Monte Carlo eingewandert war, hieß Hélène Rothschild. In New York gibt es Hunderte von Rothschilds, Rothschild ist dort ein geläufiger Name. In Frankreich dagegen ist der Name Rothschild hochangesehen, und die Vorstellung der Franzosen ist in diesem Punkt ähnlich ausgeprägt wie die der Deutschen. Rothschild, so wird in Paris spekuliert, bedeutet großes Vermögen, *c'est une Rothschild* heißt soviel wie: Da ist Geld, seriöses Geld.

Mir selber ging die Wirkung dieses Namens allerdings erst auf, als ich eine der schon damals führenden Galerien von Paris besuchte, die Galerie Maeght, die Miró, Braque und Kandinsky vertrat, später auch, mit sehr viel Erfolg, Chagall. Wenn ich Lithographien und Radierungen dieser Künstler kaufen wollte, ging ich zu Maeght, der diese Maler verlegte und ganz in der Nähe des berühmten Kunsthändlers Kahnweiler seine Räume hatte. Originalgraphik gehörte zu den Hauptbeständen meiner Galerie, und ich wurde bald ein geschätzter Kunde der Kunsthandlung von Maeght. Ich erinnere mich genau an den Tag, als ich dem großen Chef, Monsieur Aimé Maeght, meinen ersten Scheck aushändigte. Maeght schaute auf den Scheck, der mit Rothschild unterzeichnet war, sah mich bedeutungsvoll an und lächelte vielsagend. Es fiel ihm wie Schuppen von den Augen: Natürlich, die Galerie Berggruen, klarer Fall, war ein Rothschild-Unternehmen.

Ich war genau 33 Jahre alt, als ich mit dem Kunsthandel anfing, und diese Anfänge hätten wirklich nicht bescheidener sein können. Denke ich daran zurück, kommt mir Raoul Levy in den Sinn, mit dem ich mich einige Jahre später befreunden sollte. Levy war der erfolgreiche Produzent des ersten großen Films mit Brigitte Bardot, *Und Gott schuf die Frau* (mit Curt Jürgens als Bardots Partner), und in den fünfziger Jahren kam er rasch zu großem Vermögen. Später ging es ihm sehr schlecht, und er verübte Selbstmord.

Raoul Levy war ein leidenschaftlicher Sammler. In seiner Sammlung hing ein kleines Kastenbild, bei dem man unwillkürlich an den amerikanischen Künstler Joseph Cornell dachte. Es war aber kein Cornell, es war ein Raoul Levy. An der Rückwand des Kästchens hing ein Schnürsenkel, und darunter stand: »*That's how it started*« (So fing es an). Es war eine Anspielung auf den amerikanischen Ausdruck »*to start on a shoestring*« (mit einem Schnürsenkel anfangen), was soviel heißt wie bescheiden und mittellos seine Karriere zu beginnen. Mit dem Kunsthandel ging es mir am Anfang nicht viel besser.

Ich hatte das Glück, im Herzen von Paris, auf der Ile de la Cité, einen Bekannten zu haben, der dort eine Buchhandlung führte. An den eigentlichen Laden schlossen sich zwei kleine Räume an, die er mir erst leihweise, dann fest zur Verfügung stellte. In diesen beiden Hinterzimmern richtete ich meine erste Galerie ein. Zusammen waren die Räume nicht größer als 25 oder 30 Quadratmeter und boten keinen rechten Platz, Bilder zu hängen. Aber es handelte sich um eine sympathische Ecke von Paris, die noch heute ein Ort erholsamer Beschaulichkeit ist, mit sehr viel Atmosphäre und Licht inmitten des großstädtischen Treibens.

Meine Galerie lag am Kopf der Ile de la Cité, direkt am Place Dauphine, der im spitzen Winkel auf die Reiterstatue Heinrichs IV. zuführt. Die Zimmer, in denen ich mich einrichtete, waren vom Platz durch ein prächtiges Portal aus dem 17. Jahrhundert zugänglich, während die Geschäftsräume der Buchhandlung zur Seine lagen, am Quai des Orfèvres. Ich war zum ersten Mal selbständig und fühlte mich trotz der Beschränkungen wohl.

Gegenüber der Galerie, in Nummer 12, wohnte Ida Chagall, die Tochter des Malers. Ich besuchte sie von Zeit zu Zeit und sah bei ihr sehr schöne Bilder, nicht nur aus den frühen russischen und Berliner Jahren ihres Vaters, sondern auch Werke von Klee, Matisse und Picasso. Ida Chagall war eine passionierte Sammlerin. Später, als ich schon in der rue de l'Université etabliert war, kaufte sie mehrere gute Klees bei mir.

Im ersten Stock über mir wohnten die Filmschauspielerin Simone Signoret und ihr Mann, der Sänger Yves Montand, sympathische Nachbarn, zu denen ich bald gute Kontakte knüpfte. Sie führten mich großzügig bei ihren kunstinteressierten Freunden ein, unter anderem bei dem amerikanischen Sammler Norman Granz, dem großen Musikimpresario, der sich durch seine Kreation *Jazz at the Philharmonics* einen Namen in der modernen Musikgeschichte gemacht hat. Granz verkaufte ich im Laufe der Jahre einige der schönsten Gemälde seiner Sammlung.

Zwischen den Montands und mir gab es von Anfang an ein kleines Problem. Ihre Wohnung hatte einen geringfügigen Webfehler: Sie besaß keine Küche. Das Künstlerehepaar äußerte daher den dringenden Wunsch, meine Galerie zu erwerben, um sie in eine Küche umzuwandeln. Sie sprachen mich regelmäßig auf dieses Problem an, und ich bat sie ebenso regelmäßig um Geduld; sobald ich einen größeren Laden fände, der ebenso reizvoll wäre wie mein jetziger, würde ich ausziehen.

Simone Signoret drängte mich von Mal zu Mal heftiger, mir endlich neue Räume zu suchen. Im Herbst 1949 schien die Gelegenheit, auf die wir alle sehnlichst warteten, zum Greifen nahe. Der Kunstbuchverleger Louis Broder, ein enger Freund der Brüder Giacometti, machte mir das Angebot, sein geräumiges Büro in der rue de l'Université Nr. 70 zu übernehmen, unterhalb des jetzigen Musée d'Orsay, das damals noch ein Bahnhof war.

Broder war bereit, mir seine Räume inklusive des herrlichen Leuchters, den Alberto Giacometti eigens für ihn geschaffen hatte, zu überlassen. Er hatte bereits ein seinen Zwecken entsprechendes Büro gefunden. Ich war begeistert von der Möglichkeit, Broders Räume zu übernehmen, doch der Verleger verlangte ziemlich viel für die Galerie, auch wenn der Preis durchaus vertretbar schien. Für meine Vorhaben waren die Räumlichkeiten geradezu ideal: zwei große Ausstellungssäle mit hohen Decken, ein sympathisches Arbeitsbüro sowie bequeme Lager- und Abstellräume. Aber wie sollte ich mir das leisten? Es gab nur eine Möglichkeit: Simone Signoret zu bitten, mir für ihre Wunschküche einen großzügigen Abstand zu zahlen.

Für Madame Signoret war das kein Problem. Sie verdiente mit *Casque d'Or* und anderen Filmen damals sehr viel Geld. Da ich selber eine große Summe aufbringen mußte, um in der rue de l'Université einziehen zu können, zeigte ich mich ihr gegenüber nicht gerade bescheiden. Ein wenig verstimmt, aber dennoch erleichtert, weil sie ihren Küchentraum endlich in die Tat umsetzen konnte, gab sie mir schließlich den notwendigen Betrag.

Als Simone Signoret 1976 ihre höchst lesenswerte Autobiographie veröffentlichte, schickte sie mir ein Exemplar mit einer Widmung, die sich auf unsere »Küchentransaktion« bezog: »Lieber Heinz Berggruen, auch wenn die Nostalgie nicht mehr das ist, was sie früher war, so hat der Platz sowenig von seinem Charme verloren wie Ihr früherer Laden von seinem Reiz. Herzlichst Ihre Simone Signoret.«

Eigentlich ein schönes Kompliment von jemandem, dem man einmal soviel Geld abgeknöpft hat.

Als ich 1949 vom Place Dauphine in die rue de l'Université zog, suchte ich einen jungen Mann, dem man die in einer Bildergalerie anfallenden Routinearbeiten anvertrauen konnte. Meine Tschechow-Damen halfen. Der Sohn einer mit ihnen befreundeten Familie aus der weißrussischen Emigrantenkolonie suche Arbeit. Er komme aus ordentlichen Verhältnissen und sei zuverlässig. Ich bat den jungen Mann zu einem Vorstellungsgespräch und kam mir fast wichtig vor in meiner neuen Rolle als Chef, der einen möglichen Angestellten interviewte.

André Schmemann war 25 Jahre alt, ein hochgewachsener, schlanker junger Mann mit einem für sein Alter ungewöhnlichen dunklen Spitzbart. Aus einem beinahe kindlichen Gesicht blickten klare freundliche Augen. Er war diskret, bescheiden, höflich und hatte die besten Manieren. Ich engagierte ihn auf der Stelle, und er blieb mehr als dreißig Jahre bei mir. Der Spitzbart wurde im Laufe dieser Zeit grau, dann weiß, und das jugendliche Gesicht bekam irgendwann Altersfalten, aber die Haltung blieb immer würdig und aufrecht. André wurde ein Freund der Familie und später Pate meiner Söhne Nicolas und Olivier.

André war von tiefer Religiosität, ein strenggläubiges Mitglied der russisch-orthodoxen Kirche. Er liebte Rußland, das alte Rußland der Zarenzeit, und manchmal sah er mit träumerischem Ausdruck in die Ferne, wie wenn er die verschwundenen Horizonte seiner Heimat nostalgisch zu erfassen suchte. Als er später etwas Geld übrig hatte, kaufte er Stiche von St. Petersburg, mit denen er seine bescheidene Wohnung schmückte.

Zur modernen Kunst, mit der ich mich befaßte, hatte er keine Beziehung, aber er war zu wohlerzogen, um sich kritisch oder gar abfällig zu äußern. Was er tat, tat er mit großer Sorgfalt. Er packte Pakete mit Kunstbüchern und bereitete Rollen mit Graphiken zum Versand vor, er ging zur Post, er erledigte die Formalitäten beim Zoll. Im Kollegenkreis räumte man mit einem Anflug von Neid bald ein, daß André die besten Pakete und die stabilsten Rollen in ganz Paris packte. Den Kontakt mit dem Publikum mied er, nicht aus Schüchternheit, sondern aus Diskretion. Er fand, es stehe ihm nicht zu, sich mit Besuchern über Bilder zu unterhalten, die ihm nichts sagten.

Als die Aktivitäten der Galerie zunahmen, befaßte sich André auch mit der Buchhaltung, und zwar mit der gleichen Gründlichkeit, mit der er die kleinste Rolle verschnürte. Was immer er tat, er tat es mit Ruhe und Würde. Er strahlte Autorität aus, und viele, die in die Galerie kamen, meinten, nicht ich, sondern er sei der Chef.

Sprichwörtlich war Andrés Großherzigkeit. Wann immer ein Clochard zur Tür hereinkam, öffnete er sein leicht abgewetztes Portemonnaie und gab ihm ein Geldstück. Dabei sprach er mit ihm wie ein Seelsorger, sanft, aber mit einer gewissen Strenge. Als die Besuche der Clochards überhand nahmen, schob er einen Riegel vor: Sie erhielten

Mein Mitarbeiter André, der die stabilsten Rollen packte

Weisung, höchstens einmal in der Woche ihr Gesicht zu zeigen, und André begann Buch zu führen. Unter allen Kunsthandlungen in Paris war unsere bei den Clochards gewiß die beliebteste.

André private Welt war ausgefüllt mit den Belangen der russischen Kolonie, die sich sonntags in der schönen Kirche in der rue Daru versammelte. Aus den Chören, die dort sangen, klang seine herrliche Baritonstimme jubelnd heraus. Er wurde mit den Jahren ein Freund, Berater und Beschützer vieler Russen in Paris, vor allem Russen der älteren Generation, die seine Hilfe brauchten. Bei allen religiösen

Festen war er dabei. Das russische Neujahr, das russische Weihnachten, das russische Ostern wurden mit Inbrunst gefeiert. Aber auch bei Bestattungen fehlte er nie. Wenn er mit schwarzer Krawatte in die Galerie kam, wußte ich, daß an diesem Tag wieder ein Begräbnis stattfand, dem er beiwohnen würde. Auch die drei russischen Schwestern, durch die ich ihn kennengelernt hatte, begleitete er, als ihre Stunde gekommen war, zur letzten Ruhe.

Die Menschen, die zu mir kamen, zog ich allmählich in meine eigene Welt. Was sie zu mir brachte, war, wenn ich es so ausdrücken darf, ohne überheblich zu wirken, das Qualitätsgefühl, das Gefühl für das Gute und Schöne, das man in meiner Galerie spürte. Da ich von niemandem abhängig war und zielstrebig dem nachging, was mir wichtig und von bleibendem Wert erschien, konnte ich meinen eigenen ästhetischen Ansprüchen gerecht werden.

Materielle Grundlage war ein intensiver Handel mit Graphik, und bald gehörte ich zu den Aktivsten in Paris, was Originallithographien und Radierungen von erfolgreichen Künstlern wie Chagall, Miró und vor allem Picasso betraf. Von den späten sechziger Jahren an bis zu seinem Tod war ich vertragsmäßig berechtigt, dreißig Prozent der graphischen Produktion von Picasso zu vertreiben. Druckgraphik zeitgenössischer Künstler wurde zu dieser Zeit international hoch bewertet und war sehr gefragt. »Mit der Graphik«, spottete mein Freund Frank Perls, »druckst du dein eigenes Geld.«

Einmal im Jahr gab ich, im gleichen Format wie meine Ausstellungskataloge, illustrierte Graphikkataloge heraus, deren Umschläge mit Originallithographien prominenter Künstler wie Miró und Chagall versehen waren. Diese alpha-

Eine Ausstellung mit Scherenschnitten von Matisse in meiner Galerie 1953. Der Leuchter in der Mitte ist ein Original von Alberto Giacometti

betisch geordneten, mit Preislisten versehenen Kataloge wurden bald als Kursbarometer zeitgenössischer Graphik angesehen, und da ich ein Gespür für den Trend der sechziger und siebziger Jahre hatte, erzielte ich große Umsätze.

Von einem gewissen Geschäftssinn abgesehen, der überall zur Basis des Erfolges gehört, ist Kunsthandel am Ende jedoch eine Frage der Sensibilität. Menschen einer anderen Sensibilität – und das sind die meisten – leben wie in einer anderen Welt. Mit ihnen habe ich nichts gemein, wir haben uns bis heute wenig zu sagen.

Eines Tages kam der bekannte englische Sammler Charles Chlore, ein sehr erfolgreicher Selfmademan, der später von der Königin in den Ritterstand erhoben wurde und dem die Tate Gallery bedeutende Schenkungen zu ver-

Vernissage einer Miró-Ausstellung. In der Mitte, in die Kamera blik-kend, Serge Poliakoff; hinter ihm Miró im Gespräch mit Michel Leiris

danken hat, in meine Galerie. Ein Courtier brachte ihn in der Hoffnung, sich eine Kommission zu verdienen. Nichts geschah: Sir Charles sprach eine andere Sprache als ich. Er fragte, ob ich ein spätes Landschaftsbild von Vlaminck hätte. Ich verneinte. Eine Straßenszene von Utrillo, mög-lichst vom Montmartre mit Sacré Cœur im Hintergrund? Auch das gehörte nicht zu der von mir vertretenen Kunst. Vielleicht ein Chagall mit einem Liebespaar, vielen Blu-men, einem Hahn und der Andeutung eines russischen Dorfes? Nein, das alles hatte ich nicht, und Sir Charles und der Courtier zogen enttäuscht von dannen.

Meine Galerie führte ich konsequent ohne jegliche Wer-bung, wodurch ich mich bei den Zeitungen keineswegs beliebt machte. Wie Kahnweiler war ich der Meinung, daß die Leute, auf die es mir ankam, auch ohne Anzeigen den Weg zu mir finden würden. Im Gespräch mit dem Journalisten François Crémieux bemerkte Kahnweiler dazu: »Man glaubt immer, ein Kunsthändler ›lanciere‹ Maler, indem er für Publizität sorgt und laut die Werbetrommel rührt. Ich habe dafür nie einen Sou ausgegeben, nicht einmal für Anzeigen in Zeitschriften.«

Gleichermaßen weigerte ich mich, an Kunstmessen teilzunehmen. Man hat mir immer wieder vorgeworfen, dies alles zeuge von einer elitären Einstellung. Das mag sein. Aber sind Kunstmessen wirklich der Ort, Menschen Kunst nahezubringen? Meiner Ansicht nach führen Kunstmessen meist nur zum Verschleiß, sind aufgrund ihrer Anhäufung von oft minderwertiger Ware keineswegs der Maßstab, der zu sein sie vorgeben, und haben mit Kunst in der Regel weniger zu tun als mit Kommerz. Zweifellos haben Kunstmessen nie so floriert wie nach dem letzten Krieg; es gibt Händler, die von Messe zu Messe leben und kalkulieren. Das Ganze erinnert aber eher an einen wandernden Bilderzirkus, der heute in Köln, morgen in Basel, übermorgen in Paris seine Zelte aufschlägt.

Die meisten dieser Messehändler bezeichnen sich als Galeristen. Ich habe diesen Ausdruck als unglücklichen Neologismus stets abgelehnt. Galerist erinnert mich allzusehr an Drogist. Ein Drogist sitzt in seinem Laden und wartet auf Kundschaft. Ein Kunsthändler aber ist mobil, er reist, er geht in Ateliers, er nimmt an Symposien und Auktionen teil, er besucht Ausstellungen. Ein echter Kunsthändler, auch wenn darin das Wort »Handel« anklingt, das viele Menschen lieber nicht in Zusammenhang mit Kunst gebracht wissen wollen, ist ein aktiver Teilnehmer am Kunstgeschehen seiner Zeit.

Mir ging es darum, die Idee eines *Musée imaginaire* über die Jahre hin zu verfolgen und auszubauen. Daneben zeigte ich Arbeiten, die für Paris neu oder wichtig waren, etwa Collagen des Italieners Magnelli oder 1961 die erste Ausstellung mit Werken von Robert Motherwell in Europa. Bei solchen »Experimenten« war die Verkaufserwartung gering, und im Rückblick wüßte ich nicht in jedem einzelnen Fall die Gründe anzugeben, die mich zu solchen Wagnissen verleiteten.

Manchmal half das Glück. So veranstaltete ich 1954 die erste Schwitters-Ausstellung in Paris. Die Anregung dazu war von Tristan Tzara gekommen, der selber mehrere reizvolle Collagen von Schwitters aus den frühen zwanziger Jahren besaß. Aber wo sollte ich Schwitters-Arbeiten finden, um eine ganze Ausstellung zu bestreiten? Da kam mir die Idee, nach Berlin zu fahren und Hannah Höch, die langjährige Gefährtin von Schwitters, in ihrer Laubenkolonie in Heiligensee aufzusuchen.

Ich traf eine reizende kleine alte Dame, die ganz begeistert war von meiner Idee, Schwitters in Paris zu zeigen. Sie war aufgeschlossen und großzügig und verkaufte mir eine Reihe schöner Blätter zu sehr »vernünftigen« Preisen. Dank ihrer Hilfe hatte ich bald eine ganze Ausstellung beieinander, und mein besonderer Ehrgeiz war es, bereits mit der Gestaltung des Katalogs ein Gefühl für die Welt von Schwitters zu vermitteln. Das original braune Packpapier, auf das ich drucken ließ, begeistert die Sammler noch heute.

Die Ausstellung selbst sprach nur eine kleine Gruppe an, darüber machte ich mir keine Illusionen. Ich wäre zufrieden gewesen, hätte ich zwei oder drei Blätter verkauft. Dann aber geschah das Unerwartete. Ein Amerikaner, den ich nicht kannte, kam in die Ausstellung, studierte sehr gründlich, was an den Wänden hing, fragte hier und da nach dem Preis und sagte dann, daß er die Blätter alle kaufen wolle. *Alle.* Er gab mir seine Karte, und ich sah, es war der bekannte Kunsthändler Sidney Janis aus New York.

VII
Am Hauptweg: Picasso

Tristan Tzara öffnet die Tür

Im Café de Flore bei der Kirche St. Germain des Prés lernte ich im Winter 1950 jenen Mann kennen, der mich zu Picasso führen und damit meinen Weg als Kunsthändler nachhaltig beeinflussen sollte: den Dichter Tristan Tzara. Tzara, der als Mitbegründer des Dada in die Literaturgeschichte des 20. Jahrhunderts eingegangen ist, war noch immer eine Berühmtheit, aber sein Stern war bereits im Verblassen. Das Flore war sein Stammlokal: Dort schrieb er seine Gedichte, dort traf er seine Freunde, dort erledigte er seine Korrespondenz. Ich hatte ihn zum wiederholten Mal an seinem Tisch gesehen – er saß immer in der gleichen Ecke –, als ich eines Tages feststellte, daß wir Nachbarn waren. Er wohnte mir genau gegenüber, rue de Lille Nr. 5. Ich wohnte Nr. 12.

Bei meinem nächsten Besuch im Flore faßte ich mir ein Herz und sprach ihn an. Tzara reagierte ausgesprochen wohlwollend, und am Ende unseres kleinen Gesprächs lud er mich ein, ihn einmal zu besuchen. Seine eindrucksvolle Wohnung war eine Art Privatmuseum mit seltenen afrikanischen Skulpturen – der Dichter war als großer Kenner primitiver Kunst bekannt –, und an den Wänden hingen zahlreiche Bilder und Zeichnungen, meist von Picasso, vor allem aus dessen kubistischer Zeit. Meine Begeisterung und mein Wunsch, in diese Welt vorzudringen, schienen

Tzara zu gefallen, und so kam es, daß ich des öfteren bei ihm vorbeischaute.

Nach einer Weile besuchte mich Tzara in meiner Galerie. Die Intimität der Räume, ihr Schnitt, die ganze Atmosphäre gefielen ihm sehr. Er habe gerade einen Gedichtband geschrieben, *De mémoire d'homme*, erzählte mir Tzara, und Picasso habe diesen Band mit Originallithographien illustriert. Ob ich Lust hätte, den Band auszustellen? Natürlich hatte ich Lust. Man brauche allerdings die Genehmigung von Picasso, meinte Tzara, und das bedeute, daß Picasso mich als Person akzeptieren müsse. Wenn ich einverstanden sei, werde er ein Treffen arrangieren.

So nahm Tzara mich eines Tages mit in das Atelier von Picasso in der rue des Grands-Augustins 7, dicht bei der Seine. In einem herrlichen Haus aus dem 17. Jahrhundert stiegen wir zu Fuß – einen Fahrstuhl gab es nicht – auf einer engen Wendeltreppe in die fünfte Etage. Ernst Jünger erzählt in seinem Pariser Tagebuch von 1942, daß an Picassos Tür mit einer Reißzwecke ein kleines Blatt Papier geheftet war, auf dem mit Blaustift *Ici* stand. 1950 hing das gleiche Zettelchen mit der gleichen Aufschrift noch immer da. Wir klopften. Picassos Sekretär Sabartés öffnete, mürrisch und wortkarg, und Tzara stellte mich ihm vor. Die beiden hatten eine gewisse Ähnlichkeit: Sie waren klein, ihre Gesichtszüge wirkten ausgesprochen streng und scharf, und sie erinnerten an die Inquisitorenporträts von El Greco. Sabartés führte uns in einen großen, düsteren Vorraum. Dort saßen, in langer Reihe mit dem Rücken zur Wand, geduldig und schweigsam Menschen aus aller Welt, vor allem Spanier, die dem Meister einmal persönlich begegnen wollten; viele kamen wohl auch, um ihm Bitten und Wünsche vorzutragen. Das ganze erinnerte an ein Hofzeremoniell aus der Zeit Philipps II., nur daß die Figuren aus Versehen Kleidung des 20. Jahrhunderts trugen. Die Atmosphäre wirkte auf mich fast gespenstisch.

Tzara hatte keine Mühe, rasch vorgelassen zu werden. Für mich war das ein aufregender Moment. Konkret ging es darum, Picassos Einverständnis für die geplante Ausstellung zu erlangen, aber das Entscheidende für mich war die Begegnung mit einem der Großen dieses Jahrhunderts. Würde er mich akzeptieren? Ich hatte gehört, daß Picasso sehr schroff und ungehalten sein konnte.

Schon rein physisch war Picasso bestechend: Sein wunderbares, gut geschnittenes Gesicht, seine herrlichen, großen, magnetischen Augen, sein prächtiger, gedrungener Körper – das alles war wie aus einem Guß, so als hätte er an sich selber ein Meisterwerk vollbracht. Gleich bei unserer ersten Begegnung geriet ich in seinen Bann, obwohl er nur einige wenige Sätze an mich richtete. Tzara erklärte ihm, daß ich vor kurzem eine kleine Galerie eröffnet hätte und gern sein neues Buch ausstellen würde. Picasso war einverstanden. Er käme bei Gelegenheit einmal in der Galerie vorbei, sagte er und fügte hinzu: »In Ordnung, ok. – Sie sehen, ich spreche auch Englisch.«

Der Ausstellung des Bandes von Picasso und Tzara war nur ein mäßiger Erfolg beschieden, finanziell brachte sie rein gar nichts. Tzaras Gedichte aus der Zeit nach dem Zweiten Weltkrieg hatten nicht mehr die poetische Kraft seiner Dada-Lyrik. Und was Picasso an Graphik beisteuerte, war, offen gestanden, nicht das Aufregendste. Ich hatte das Gefühl, er illustrierte beinahe unwillig, jedenfalls indifferent gegenüber diesen späten Gedichten, mehr aus Treue zu seinem alten Freund. Picassos Herz schien nicht dabeizusein. Mich aber hat weder die mangelnde Inspiration noch der ausbleibende Erfolg beunruhigt. Für mich war es wichtig, den Kontakt zu Picasso zu haben.

Ein Vertrag von neun Zeilen

Kurz nach meinem Besuch mit Tristan Tzara in der rue des Grands-Augustins kehrte Picasso Paris den Rücken. Mit wenigen knappen Unterbrechungen verbrachte er die letzten zwanzig Jahre seines Lebens im Süden – er starb 1973, fast 92 Jahre alt, in seinem großen Haus in Mougins, oberhalb von Cannes. Nachdem ich ihn dort einige Male besucht hatte, fand sich 1959 ein konkreter Anlaß. Vorausgegangen war eine Reihe von Gesprächen mit dem Pariser Großkaufmann Jacques Ulmann.

Ulmann war ein passionierter Sammler, dessen Liebe vor allem dem damals noch recht unbekannten und wenig geschätzten Jean Dubuffet galt. Aus dem Nachlaß von Vollard, der 1939 bei einem Autounfall ums Leben gekommen war, hatte Ulmann einige Originalmodelle Picassos erworben, unter anderem den bedeutenden frühkubistischen *Kopf von Fernande* von 1909. Vollard hatte von dieser Skulptur, die neben dem *Absinthglas* von 1914 als das plastische Hauptwerk des Kubismus gilt, einige Exemplare gießen lassen, allerdings unnumeriert, und niemand außer ihm kannte die Auflage. Waren es 10, 12, 15 oder gar 20 Güsse? Vollard, geheimniskrämerisch wie so oft, gab keine Auskunft, und nach seinem Tod versuchte man vergeblich, Genaueres in Erfahrung zu bringen. Jedenfalls gab es schon seit Jahren kein Exemplar dieser kapitalen Skulptur im Handel.

Ulmann und ich planten, von den diversen Originalen, die nun in Ulmanns Besitz waren, Neuauflagen herzustellen. Dazu brauchten wir die Autorisierung Picassos. Sollte es mir gelingen, Picasso von unserem Plan zu überzeugen, war Ulmann bereit, mir für eine bestimmte Summe die Reproduktionsrechte abzutreten.

Kurz entschlossen fuhr ich nach Cannes. Zunächst ging es mir nur um den klassisch-traditionell gehaltenen Kopf von 1906, den ich mit Picassos Zustimmung neu auflegen wollte. Ich machte mir wenig Illusionen über den Erfolg meines Unternehmens, empfand es jedoch als einen guten Vorwand, Picasso erneut einen Besuch abzustatten. Ich hatte Glück, Picasso war glänzender Laune. Er freute sich anscheinend, einen enthusiastischen jungen Mann zu empfangen, und der Plan einer Neuauflage in beschränkter numerierter Auflage – er dachte an neun Exemplare – schien ihm durchaus akzeptabel.

Er meinte, wir sollten unsere Abmachung in einem kleinen Vertrag festhalten, und so setzte ich spontan ein kurzes Schreiben von neun Zeilen auf. Picasso unterschrieb. Wahrscheinlich ist es einer der lapidarsten Verträge, die in der Geschichte des modernen Kunsthandels zwischen einem bedeutenden Künstler und einem Händler geschlossen wurden. Neun Zeilen für neun Skulpturen.

Aus heutiger Sicht erscheint es geradezu fahrlässig, sich bei einem so wichtigen Unternehmen auf ein paar handgeschriebene Sätze zu beschränken. Wahrscheinlich würden sich in unseren Tagen ganze Kanzleien mit einem solchen Vertrag beschäftigen und in vielen Paragraphen und Subparagraphen ausführen, was und was nicht bei der Produktion der Neuauflage gestattet sei. Aber wir schrieben das Jahr 1959, und da war alles noch recht einfach.

J'autorise M. Berggruen à faire un tirage en bronze de neuf (9) épreuves de la tête de Fernande (1905), reproduite dans le Zervos, Picasso Vol I planche 149. Il est convenu que M. Berggruen me remettra trois (3) épreuves comme droits d'auteur. Il est entendu que ce tirage n'est possible que si M. Berggruen en achetant l'original possède également les droits de reproduction. Cannes le 15 février 1959.

Über das Kommerzielle hinaus war die Abmachung mit Picasso für mich ein großer Prestigeerfolg. Als die Güsse fertig waren – es dauerte etwa sechs Monate, in denen Valsuani, der kompetente Gießer, mehrmals zu Picasso fuhr, um die Qualität seiner Arbeit überprüfen zu lassen –, übergab ich Picasso die ihm vertragsgemäß zustehenden drei Exemplare der Skulptur. Wie die meisten der plastischen Arbeiten in seinem Besitz, wurden sie zu seinen Lebzeiten nicht veräußert.

Ermutigt von der reibungslosen Abwicklung und dem Erfolg meines ersten verlegerischen Unternehmens mit ihm, fuhr ich ein knappes Jahr später wieder zu Picasso, um ihm vorzuschlagen, zusammen mit zwei kleineren Arbeiten aus dem Nachlaß von Vollard nun auch den bedeutenden kubistischen Kopf von Fernande von 1909 neu zu gießen. Auch diesmal war er einverstanden. Auch diesmal setzten wir – von mir wieder handgeschrieben – einen kleinen Vertrag auf, allerdings zwölf statt neun Zeilen, um unsere Abmachung zu »legalisieren«:

Ich ermächtige Herrn Berggruen, eine Auflage in Bronze von neun (9) Exemplaren von jeder der nachfolgenden Skulpturen zu machen:

(a) Großer kubistischer Kopf

(b) Sänger (Maske eines Gauklers)

(c) Kleine Figur von 1907

Man ist übereingekommen, daß Herr Berggruen mir drei (3) Exemplare jeder Skulptur als Autorenrechte überläßt. Es ist eindeutig, daß diese Auflage nur möglich ist, wenn Herr Berggruen auch die Reproduktionsrechte besitzt.

Cannes, den 31. Januar 1960.

[unterzeichnet] Picasso

Dank der kompetenten Mitarbeit von Valsuani waren die Güsse wiederum etwa sechs Monate später zu Picassos großer Befriedigung hergestellt. Von dem kubistischen Kopf behielt ich ein Exemplar (Nr. 6/9) für meine eigene Sammlung – kein schlechtes Werk für die Anfänge einer Privatkollektion –, die übrigen gingen an verschiedene Institutionen und Sammler. Nach meinen Unterlagen befinden sich Exemplare in den Kollektionen von Lord Rayne in London, im Los Angeles County Museum, im Norton Simon Museum in Pasadena, im Boston Museum of Fine Arts sowie in der Sammlung von Stephan Hahn in New York.

Nach dieser erfolgreichen und für mich so wesentlichen Erwerbung der Verlagsrechte für die zweite Auflage der *Fernande* besuchte ich Picasso in Cannes regelmäßig etwa zwei- bis dreimal im Jahr. Diese Besuche waren die Höhepunkte meiner Tätigkeit als Händler und Sammler, jeden einzelnen meiner Aufenthalte an der Côte d'Azur empfand ich als unendlich anregend und bereichernd.

Kurz nachdem ich zum zweiten Mal geheiratet hatte, brachte ich meine junge Frau mit, und auch sie geriet unmittelbar in den Bann des großen Spaniers. Picasso ließ seinen Charme spielen, und davon hatte er nicht wenig. Da stand er vor uns, gebräunt, gedrungen und muskulös, mit entblößtem Oberkörper und leicht gespreizten nackten Beinen, wie ein Torero vor dem Stier. Als Bettina unwillkürlich auf seine Beine schaute, spürte Picasso dies und sagte: »Fassen Sie nur an!« Meine Frau geriet in Verlegenheit, woraufhin er ihre Hand nahm und sie auf sein Bein legte. Das war hart wie Stahl. So muskulöse Beine, dachte Bettina, muß wohl ein Künstler haben, der mit so schweren und unhandlichen Materialien arbeitet wie Bronze und Stein, Marmor und Holz. Dabei so weiche Hände zu behalten, weich und gepflegt wie die Hände einer Frau, das erschien ihr bemerkenswert.

Die außergewöhnliche Verbindung von Kraft und Sensibilität, die auch seinen Werken eine so einzigartige Anziehung verleiht, drückte sich in Picassos ganzer Erscheinung aus wie auch in seinen Bewegungen. Er zeigte uns eine Reihe meist großformatiger neuer Bilder, die er wieselflink mit der Geschicklichkeit eines Bühnenrequisiteurs von einem Atelier ins andere schaffte. Als wir uns verabschiedeten, waren wir wie benommen: Die Magie seiner Gemälde stand in vollkommenem Einklang mit der Macht seiner Persönlichkeit.

Und immer saß Picasso der Schalk im Nacken. Bevor er sich in Cannes in der Villa La Californie niederließ, lebte Picasso mit Françoise Gilot und ihren kleinen Kindern Claude und Paloma in Golfe Juan, unterhalb von Vallauris, dem bekannten Töpferdorf, etwa zehn Kilometer östlich von Cannes. Im Sommer gingen alle regelmäßig an den Strand –

Dieses Foto, von seiner Frau Jacqueline gemacht, schenkte mir Picasso
1965. Mein Name ist, wie immer, falsch geschrieben

berühmt sind die reizvollen Aufnahmen, die damals von dem jugendlichen Siebzigjährigen gemacht wurden, der seiner Familie den Sonnenschirm trägt.

Am Strand traf Picasso öfters Monsieur Ascher, einen dicken Antiquitätenhändler aus der rue de Seine in Paris, den er von früher gut kannte. Er schätzte Ascher wegen seiner Kenntnisse auf dem Gebiet der primitiven Kunst, und die beiden führten lange angeregte Unterhaltungen, über die mir Monsieur Ascher stolz berichtete. »Stellen Sie sich vor«, sagte er eines Tages zu mir, »ich habe Picasso gefragt, ob er mein Porträt malen würde, und er hat es mir zugesagt. Was für eine Chance!«

Am nächsten Morgen kam Picasso wieder an den Strand. Es war einer der heißesten Tage in diesem Sommer. »Legen Sie sich hin«, sagte Picasso mit gespielter Strenge zu Monsieur Ascher, »legen Sie sich auf den Rücken und rühren Sie sich nicht.«

Picasso holte ein paar Fettstifte aus der Tasche und malte behende auf den üppigen Bauch des Herrn Ascher. »Schön stillhalten«, sagte Picasso, »ich muß mich konzentrieren.« Herr Ascher hielt still und schwitzte sehr. Die Brustwarzen wurden Augen und der Bauchnabel ein Schmollmund.

Und dann lief Monsieur Ascher als wandelndes, schweißtriefendes Selbstporträt herum und war verzweifelt. »Schauen Sie sich meinen Leib an«, sagte er bekümmert, »ein echter Picasso. Aber was mache ich damit? Ich kann weder ins Wasser gehen noch eine Dusche nehmen. Ich habe Angst, mich im Schlaf umzudrehen und mein Porträt im Laken zu verwischen. Was mache ich bloß? Ich betrachte mich dauernd im Spiegel – ein Opfer der Hitze und ein Opfer von Picasso. Ich leide sehr.«

Da Herr Ascher einen ausgeprägten kommerziellen Sinn hatte, meinte er am Ende seufzend: »Vielleicht sollte ich das Porträt auf meinem Bauch einer großen Illustrierten anbieten. Es könnte eine Sensation geben. Titel: ›Der wandelnde Picasso‹ oder etwas ähnliches.«

Als ich Picasso von Herrn Aschers Kummer erzählte, war er sehr amüsiert. Er hatte in solchen Augenblicken etwas Diabolisches. »Der arme Monsieur Ascher«, sagte Picasso, »da habe ich ihm sein Porträt gemalt, und jetzt muß er damit leben.«

Picassos Ruhm war damals in steilem Aufstieg begriffen, vor allem in Amerika. Er wurde, ganz gegen seine Absicht, zu einem *monument historique* stilisiert und hatte immer mehr Mühe, sich des Ansturms von unerwünschten Besuchern zu erwehren. Nichts verstörte ihn mehr, als Menschen zu begegnen, die zu seinem Werk im Grunde keine oder nur eine oberflächliche Beziehung hatten und die ihn mit den peinlichsten und törichtsten Fragen belästigten. Er wollte seine Zeit nicht mit Leuten vergeuden, die nur darauf aus waren, ein Autogramm zu ergattern – schließlich war er kein Filmstar. Small talk enervierte ihn. Viele Besucher kamen mit schön verpackten Gaben wie zu einem Geburtstagsbesuch. Er sah sich diese Geschenke nie an, und so türmten sich die Pakete in einer Ecke des Ateliers und fingen Staub. Überhaupt war die Unordnung in seinem Atelier unbeschreiblich. Er hatte strenge Anweisung gegeben, daß nichts angerührt werden dürfe; er selbst fand sich in dieser Unordnung bestens zurecht.

Picasso war im Grunde bedürfnislos, was in seiner letzten Lebensspanne, als er in dem milden Klima des Südens lebte, nur um so deutlicher hervortrat. Ich habe ihn nie im

Anzug gesehen, eine Krawatte besaß er wahrscheinlich gar nicht. Meist trug er Shorts, der gebräunte Oberkörper blieb frei, die nackten Füße steckten in Sandalen. Wenn es kühler war oder abends, wenn er ausging, trug er Cordhosen und einen Pullover.

Was Picasso vor allem schätzte, war, neben der Ruhe und Konzentration, die er auf sein Alterswerk wendete, die Beziehung zu dem, was er früher geschaffen hatte. Er war immer gespannt, zu sehen, was ich an Arbeiten aus seiner Vergangenheit aufgetrieben hatte. Dies war sicher einer der Gründe, weshalb er mich immer gern willkommen hieß. Ich zeigte ihm auch jedesmal Bilder oder Zeichnungen, bei denen ich nicht sicher war, ob es sich nicht um Fälschungen handelte. Er schaute sie sich gründlich an, und wenn er nicht einverstanden war, durchkreuzte er die Signatur und schrieb auf die Rückseite, meist mit Blaustift, *faux* (falsch).

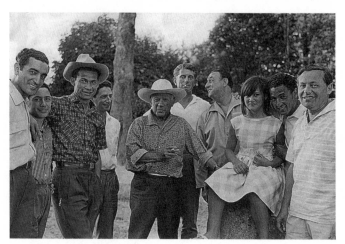

Picasso mit seinen Kindern Paul, Claude und Paloma im Kreis einer Stierkampfgruppe in Cannes. Ich stehe ganz rechts

Einmal zeigte er mir eine Reihe herrlicher Zeichnungen verschiedenen Formats zu einem seiner Lieblingsthemen, dem Stierkampf. Es waren vielleicht zwanzig oder auch dreißig Blätter. Sie lagen wild durcheinander auf dem großen Arbeitstisch ausgebreitet. Als ich Picasso verließ, hatte ich ein merkwürdiges Gefühl, irgend etwas beunruhigte mich. Ich fuhr mit meinem kleinen Wagen in den Ort hinunter, zurück zu meinem Hotel, und plötzlich wußte ich es. Ich stoppte an einem Geschäft für Malbedarf, kaufte eine Zeichenmappe aus Pappe, zahlte ein paar Francs, schrieb zwei, drei Zeilen, fuhr rasch wieder zurück zur *Californie* und gab die Mappe beim Hauswart ab.

Am nächsten Tag kam ein kurzer Brief von Picasso mit der Skizze eines Mannes, der sich über eine Zeichenmappe beugt, und dazu die Worte *Merci Berggrune* – mit der Orthographie meines Namens hatte er immer Schwierigkeiten – *4.9.59. Picasso.* Die bescheidene Pappmappe, die seine herrlichen Stierkampf-Zeichnungen schützen sollte, machte ihm sichtlich Freude.

Ein anderes Mal saßen wir mittags mit einer kleinen Gruppe in einem seiner Lieblingslokale, bei Felix auf der Croisette in Cannes. Frankreich war wieder einmal in großen finanziellen Schwierigkeiten, die Inflation legte kräftig zu, und eine Abwertung drohte. Die Regierung hatte gerade einen neuen 500-Franc-Schein herausgebracht. »Den habe ich noch nie gesehen«, sagte Picasso zu mir, »haben Sie einen dabei?«

Er studierte die neue Banknote und kommentierte dann lächelnd: »Sehr interessant. Das ist also der neue Geldschein. Vielleicht sollte man mich zum Finanzminister machen, dann könnte ich das Land aus dem wirtschaftlichen Chaos retten.«

Wir sahen ihn alle verwundert an.

»Sehr einfach«, sagte Picasso. »Ich bin König Midas. In zwei Sekunden kann ich diesen 500-Franc-Schein ins Doppelte verwandeln.« Er zog einen kleinen Bleistift aus der Tasche, und in ein frei gebliebenes kreisförmiges Feld auf dem Schein zeichnete er blitzartig eine winzige Corrida.

»So«, sagte er, »jetzt ist der Schein bestimmt das Doppelte wert.«

Am gleichen Abend erzählte ich die Geschichte ein paar Freunden und zeigte die 500-Franc-Note mit der Corrida. Sofort holte einer tausend Franc aus der Tasche und übernahm den Schein. Daraufhin machten mir die anderen Vorwürfe: Ich hätte eine zu kommerzielle Einstellung, wie man nur so geldgierig sein könne. Da ich anschließend das Abendessen für alle bezahlte, ging diese Runde wohl an mich.

Von Anfang an war ich an der graphischen Gestaltung der Kataloge meiner Galerie interessiert. Insgesamt sind mehr als 80 Kataloge erschienen, alle im gleichen schmalen Format. Von diesen *plaquettes* – so wurden meine Kataloge bezeichnet – sind die meisten seit Jahren vergriffen und gelten als bibliophile Raritäten. Viele sind auf dem Umschlag mit Originallithographien der Künstler geschmückt, denen sie gewidmet waren. Auch Picasso trug zweimal dazu bei: zu dem im Sommer 1956 präsentierten Katalog *Picasso – dessins d'un demi-siècle* mit einer Lithographie in vier Farben und acht Jahre später zu dem Katalog *Picasso – 60 ans de gravures* mit einem Originallinolschnitt.

Die Texte lieferten oft bekannte Schriftsteller wie Raymond Queneau, Pierre Reverdy und Tristan Tzara oder prominente Kunstkritiker wie Will Grohmann, Pierre Daix und Jean Cassou. Der Hauptreiz der Plaketten ging vielleicht von den sorgfältigen, originalgetreuen Reproduktionen aus, die im *Pochoir*-Verfahren hergestellt wurden, einer dem Siebdruck verwandten Technik, die zwar viel subtiler, ihrer hohen Kosten wegen aber vom Aussterben bedroht ist.

Bald gesellte sich der Wunsch hinzu, auch verlegerisch tätig zu werden, das heißt, unabhängig von den Ausstellungskatalogen eigene Publikationen herauszugeben. Ich veröffentlichte vor allem Faksimileausgaben in beschränkter Auflage: 1953 ein Marine-Album aus der Jugend von Toulouse-Lautrec, 1955 ein Skizzenbuch von Matisse, kurz darauf ein Skizzenbuch von Léger aus dem Ersten Weltkrieg und 1966 ein besonders reizvolles Skizzenbuch von Cézanne. 1964 gab ich ein großformatiges Album von Klee-Aquarellen heraus, zu dem des Künstlers Sohn Felix die Kommentare schrieb.

Meine besondere verlegerische Aufmerksamkeit galt den Picasso-Büchern, im ganzen vier Publikationen. Die reizvollste war zweifellos das *Carnet catalan* (Katalanisches Skizzenbuch), das 1958 in einer Auflage von 500 numerierten Exemplaren erschien. Es handelte sich um das sorgfältige Faksimile (120×75 mm) eines kleinen Skizzenbuches, das Picasso 1906 bei einem kurzen Aufenthalt in Gosol, einem spanischen Bergdorf an der Grenze zu Andorra, benutzt hatte. Alle Seiten, einschließlich der eingerissenen und verschmutzten, sind originalgetreu wiedergegeben. Zu den charmantesten der im Stil der zu Ende gehenden rosa Epoche gehaltenen Blätter gehören Porträts von Kindern und jungen Frauen. Auf der Innenseite des Umschlags ist der Stempel des Geschäfts in Montmartre abgebildet, in dem Picasso vor seiner Abreise nach Spanien das kleine

Mit Picasso und Jacques Prévert, 1962

Skizzenbuch erwarb. Mein Hausautor Douglas Cooper schrieb die instruktiven Erläuterungen zu jeder Seite des *carnet*.

Die Picasso-Publikation von 1962, eine großformatige Mappe mit dem Titel *Diurnes* (Täglich), war eine Gemeinschaftsarbeit von Picasso und dem jungen Photographen André Villers, den Picasso sehr schätzte. Die Mappe enthielt 30 Photoabzüge, über die Picasso Scherenschnitte gelegt hatte, was dem Ganzen einen frappierenden Eindruck surrealistischer Dreidimensionalität verlieh. Jacques Prévert schrieb dazu eine poetische Einleitung.

Bei einer weiteren Faksimileausgabe, *40 dessins de Picasso en marge du Buffon* (40 Zeichnungen von Picasso am Rande vom Buffon), handelte es sich um Seiten aus einem Exemplar des *Buffon*, das Picasso mit reizvollen Federzeichnungen, zumeist Tierköpfen, geschmückt und seiner Freundin Dora Maar geschenkt hatte.

Das Buch *Pour Eugenia* (Für Eugenia) enthielt eine Gruppe von 24, bis dahin (1976) nicht im Werkverzeichnis von Christian Zervos veröffentlichten Zeichnungen von 1918, die Picasso für die südamerikanische Sammlerin Eugenia Errazuriz machte, als er, zusammen mit seiner jungen Frau Olga, kurz nach dem Ersten Weltkrieg ihr Gast in Biarritz war. Auch hier war es Douglas Cooper, der den Kommentar zu den Zeichnungen schrieb. Es war meine letzte Picasso-Veröffentlichung, bevor ich die Galerie 1980 meinem bewährten Mitarbeiter überließ, dem jungen Basken Antoine Mandiharat, um mich ganz meiner Sammlung zu widmen.

Besuch bei Gertrude Stein

Im Juni 1945, kurz nach dem Ende der Kampfhandlungen in Europa – ich steckte noch in Uniform –, hatte ich in Paris Gertrude Stein besucht. Ihr Haus lag in der rue Christine, einer kleinen Seitenstraße am linken Ufer der Seine, ganz in der Nähe des Jardin du Luxembourg, wo ich viele Jahre später selber wohnen sollte. Ich hatte viel von Gertrude Stein, der großen Dame der amerikanischen Literatur, gelesen und war begierig, sie persönlich kennenzulernen. An die Jahreszeit erinnere ich mich deshalb gut, weil die Leute auf der Straße Schlange standen, um zu Wucherpreisen Kirschen zu kaufen.

Als ich bei der Concierge nach Miss Stein fragte, wurde ich in die zweite Etage verwiesen, was in Frankreich in der Regel drittes Stockwerk bedeutet. Bei Sprachen gibt es keine Logik. Eine Angestellte öffnete. Und dann stand ich vor Gertrude Stein. Das erste, woran ich dachte, war die Porträtzeichnung von Suzanne Valadon, die ich ein paar Wochen zuvor im Haus ihres Sohnes Utrillo gesehen hatte. Dann fielen mir die Bäuerinnen ein, wie sie die Holländer des 17. Jahrhunderts gemalt haben. Und zuletzt war es doch das majestätische Porträt aus Picassos rosa Periode, das heute im Metropolitan hängt, und in dem mir das Wesen dieser Frau am besten wiedergegeben zu sein scheint.

Gertrude Stein trug ein gestreiftes Baumwollhemd und einen dicken braunen Rock aus Tweed, dazu altmodische flache Schuhe. Ihr graues Haar war kurz geschoren, ihr Gesicht gebräunt, und sie sah aus wie die gesündeste Person der Welt. Auch ihr berühmter Hund *Basket* war dabei, ein weißer Pudel voller Pudelrätsel. Meine Gastgeberin führte mich in einen großen Raum, in dem sie mich ihrer Lebensgefährtin, der allgegenwärtigen Alice Toklas, vorstellte. Diese war im Gegensatz zu Frau Stein und dem Pudel weder robust noch geheimnisvoll. Sie wirkte eher fragil, wie ein Mönch. Durch dicke, schwarzumränderte Brillengläser musterte sie mich aufmerksam. Während ich Platz nahm, wagte ich erste verstohlene Blicke auf die Bilder, die vier große Wände füllten. Sie waren alle ungerahmt, gewissermaßen nackt, und dies bot einen höchst verwirrenden Anblick.

Alice Toklas und Gertrude Stein in ihrer Wohnung rue de Fleurus, aus der sie 1938 in die rue Christine zogen

Gertrude Stein redete. Ich bildete mir ein, daß sie sprach, wie sie schrieb, was natürlich Unsinn war; aufgrund meiner Lektüre hatte ich mir einfach ein Abziehbild gemacht, das ich nun der Realität angleichen mußte. Dies fiel mir schwer, denn meine Augen wanderten hin und her und auf und ab an den vier riesengroßen Wänden, auf denen die Geschichte der modernen Kunst buchstabiert war.

Gertrude Stein sprach nicht über Kunst, sie sprach über die Deutschen: über ihren unglaublichen Hochmut, über ihre völlige Humorlosigkeit, womit sie offenbar meinte, daß ihnen das Gefühl der Menschlichkeit abgehe. Sie erzählte, daß deutsche Offiziere ihre schicken Achtzylinder-Kabriolets aus Benzinmangel auf offene Eisenbahnwaggons laden ließen und, statt im Zug zu fahren, mit pompös gekreuzten Armen obenauf in den roten Lederpolstern ihrer Automobile Platz nahmen. Jetzt, bei Kriegsende, hätten die Deutschen zu all ihrer Angst vor der Zukunft auch noch einen schrecklichen Minderwertigkeitskomplex. Die Franzosen hätten die Deutschen, obwohl sie als Eroberer ins Land gekommen waren, in all den Jahren ohnehin eher herablassend behandelt, mit jener Subtilität kultureller Überlegenheit, wie sie nur den Franzosen eigen ist. Sie hätten die Deutschen völlig ignoriert, gewissermaßen durch sie hindurch geredet und sich ausschließlich um ihre eigenen Angelegenheiten gekümmert, als ob es die Deutschen gar nicht gäbe.

Als ich mich verabschiedete, wünschte mir Gertrude Stein alles Gute, so wie man dem Soldaten, der als Befreier kommt, eben alles Gute wünscht. Sie sagte nichts Besonderes, sie sagte einfach *good luck* und drückte mir fest die Hand. Auf der Straße standen die Leute noch immer Schlange, um Kirschen für vier Mark das Pfund zu kaufen.

Neun Jahre später trat ein Bekannter in meine Galerie, um mich im Auftrag von Alice Toklas zu fragen, ob ich einige ihrer Picasso-Zeichnungen erwerben wollte. Auf der Stelle nahm ich meinen Mantel, schloß die Galerie ab und begleitete meinen Bekannten zu Miss Toklas. Sie lebte noch immer in der Wohnung, in der ich sie und Gertrude Stein 1945 besucht hatte und in der ihre Welt gleichsam petrifiziert war. Eine gespenstische Leere lag über allem, und Alice Toklas wirkte völlig vereinsamt: eine spindeldürre, winzige, alte und müde Dame, der man anmerkte, daß sie mit dem Leben nicht mehr zurechtkam.

Auch finanziell stand es nicht gut um sie, und so war sie gezwungen, Zeichnungen zu verkaufen. Sie bot mir herrliche Blätter aus Picassos blauer und rosa Epoche an, darunter eine Bleistiftstudie für das berühmte Gemälde *Der Schauspieler* im Metropolitan. Da ich nicht genug Geld hatte, um all diese Kostbarkeiten kaufen zu können, brauchte ich einen Partner. Aber wen?

Kurz entschlossen ging ich zu Picassos Händler Daniel-Henry Kahnweiler, den ich, kurz nachdem ich 1949 in meiner Mini-Galerie am Place Dauphine etabliert war, kennengelernt hatte. Er zeigte sich interessiert. Zwar habe er noch nie einen solchen Gemeinschaftskauf getätigt, aber er wolle es darauf ankommen lassen: »Ich bin eher zurückhaltend in solchen Dingen und gehe eigentlich lieber meine eigenen Wege, aber diese Sache will ich gern mit Ihnen zusammen machen.«

Kahnweiler war einverstanden, daß wir eine Ausstellung der Zeichnungen in meiner Galerie veranstalteten, und er erklärte sich bereit, für den Katalog die Einleitung zu schreiben. Meine Galerie steckte noch immer in den Anfängen, und eine solche Ausstellung mit etwa dreißig Blättern aus dem Besitz von Gertrude Stein bedeutete einen erheblichen Prestigegewinn.

In den frühen fünfziger Jahren begannen die Amerikaner wieder nach Europa zu reisen, und auch der europäische Kunstmarkt wurde für amerikanische Händler und Sammler zunehmend attraktiver. Zu denen, die sich regelmäßig bei mir einfanden, wenn sie nach Paris kamen, gehörte Alfred H. Barr, der Gründer und Direktor des Museum of Modern Art in New York. Barrs Besuche schätzte ich sehr. In langen Gesprächen entwickelte dieser revolutionäre Kunsthistoriker seine grundlegende Konzeption eines Museums, das ausschließlich der Vermittlung moderner Kunst diente. Barr hatte Pionierarbeit geleistet: Das von ihm 1929 gegründete Museum of Modern Art war weltweit das erste seiner Art.

Für Barr war meine Galerie eine Art Relaisstation auf seinen Europareisen. Die informelle, diskrete Atmosphäre bei mir entsprach seinem Temperament. Hier verabredete er sich mit Freunden, hier fand er die wichtigsten Nachschlagewerke wie etwa den Picasso-Œuvrekatalog von Zervos, was ihm ersparte, öffentliche Bibliotheken aufzusuchen. Auf Barrs Empfehlung kamen viele wichtige Sammler in meine Galerie, darunter Nelson Rockefeller, der spätere Gouverneur des Staates New York.

Rockefeller war es auch, der einige der schönsten Blätter aus der Gertrude-Stein-Sammlung erwarb. Es war die beste Provenienz, die sich ein Sammler wünschen konnte, und einige der Werke waren längst Bestandteil auch der literarischen Überlieferung unseres Jahrhunderts. Man denke nur an die *Frau mit dem Fächer* von 1905 in der National Gallery of Art in Washington oder an den großformatigen *Akt mit Draperien* von 1907 in der Eremitage. Mit solchen Erwerbungen war Gertrude Stein die erste Wegbereiterin für die frühe Kunst von Picasso.

Paul Eluard »schenkt« mir einen Klee

Wie so viele französische Dichter in den vierziger und fünfziger Jahren, war auch Paul Eluard Mitglied der Kommunistischen Partei, ging aber sehr diskret damit um. Seine

Passion galt eher der französischen Literatur des 19. Jahrhunderts. Picasso, der ihn hoch schätzte, griff ihm finanziell immer wieder unter die Arme, indem er ihm Bilder und Zeichnungen schenkte. Wovon kann ein Poet schon leben? Picasso wußte und akzeptierte, daß Eluard diese Geschenke veräußerte, und ohne daß ich ihn drängen mußte, habe ich den einen oder anderen Picasso von Eluard kaufen können.

Bei der ersten Erwerbung handelte es sich um eine schöne, großformatige Tuschzeichnung von 1942, einen schlafenden bärtigen Mann darstellend, der von einer entblößten Frau bewacht wird. Eluard lud mich ein, bei ihm zu Hause vorbeizukommen. So ging ich zu ihm – er wohnte damals im Norden von Paris – und sah diese wunderbare Zeichnung.

Eine Tuschzeichnung Picassos von 1942 aus der Sammlung Paul Eluard

»Ich würde sie gern kaufen«, sagte ich, »aber was soll sie kosten?« Eluard verlangte 7500 Franc, damals etwa 1500 Dollar. Dies erschien mir viel, doch andererseits war ganz offensichtlich, daß Eluard das Geld brauchte. Er war viel zu sensibel, sich auf einen peinlichen Handel einzulassen. Ich wiederum sah nicht recht, wie ich den verlangten Betrag aufbringen sollte. »Ich möchte mit Ihnen nicht um den Preis feilschen«, sagte ich, »aber ich glaube nicht, daß ich mir das leisten kann. Ich finde die Zeichnung herrlich, doch ich fürchte, ich werde verzichten müssen.«

Eluard dachte einen Moment nach, dann sagte er: »Sie haben doch auch Klee sehr gern?« – »Gewiß«, erwiderte ich, »sehr gern.« – »Ich zeige Ihnen ein Klee-Aquarell.« Dann holte er ein besonders schönes Blatt aus den zwanziger Jahren und sagte: »Also, wenn Sie den Picasso kaufen, gebe ich Ihnen den Klee dazu.«

»Für den gleichen Preis?«

»Den Picasso müssen Sie kaufen. Der Klee wäre dann ein Geschenk.«

Bei diesem Angebot habe ich natürlich nicht mehr nein sagen können. Beide Arbeiten waren etwas ganz Besonderes. Dankbar und glücklich fuhr ich mit meinen neuen Schätzen in die Galerie zurück.

Ein paar Tage später kam der Kunsthändler Walter Feilchenfeldt aus Zürich zu mir, ein Partner der renommierten Firma Cassirer, die vor dem Krieg in Berlin etabliert war. Ich wußte, daß Feilchenfeldt sich für Klee interessierte, und so bot ich ihm das Blatt an, das ich kurz zuvor bei Eluard erworben hatte. Als Feilchenfeldt nach dem Preis fragte, nannte ich ihm hemmungslos die gleiche Summe, die ich Eluard für beide Arbeiten gezahlt hatte. Feilchenfeldt kaufte den Klee, ohne zu zögern. Es war seine einzige Erwerbung bei mir, denn kurz darauf starb er. Seine Frau, Marianne Feilchenfeldt, übernahm das Geschäft und führt es bis heute mit Elan und Kompetenz.

Jeanne bekennt sich zum »Monster-Maler«

Die drei russischen Schwestern, die mir zu meinem ersten »Geschäft« verholfen hatten, erwiesen sich auch in anderen Fällen als äußerst hilfreich. So suchte ich, als ich noch in der rue de Lille wohnte, ein Mädchen für den Haushalt. Die Russinnen verwiesen mich an ihre Concierge, deren Tochter mit einem Polizisten verheiratet war und eine Stelle suchte. Ich engagierte Jeanne, und ich hatte Glück: Sie kümmerte sich um alles, putzte gründlich, wusch und bügelte und erwies sich nicht zuletzt als vorzügliche Köchin. So hatte ich die Möglichkeit, von der ich gern und oft Gebrauch machte, Freunde oder Geschäftspartner zum Mittagessen nach Hause einzuladen – abends mußte Jeanne ihren Gendarmen betreuen.

Eines Tages – in den späten fünfziger Jahren – erwarb ich ein wichtiges, großformatiges Bild von Picasso, ein Porträt von Dora Maar. Es gehörte in die Reihe asymmetrischer Köpfe, die nicht nur Ernst Jünger als »monströs« empfand. »Im Grunde handelt es sich um noch Ungeschautes und Ungeborenes«, schreibt Jünger in seinen Aufzeichnungen über einen Besuch im Atelier Picassos 1942, »um Experimente von alchimistischer Natur, wie denn auch einige Male das Wort ›Retorte‹ fiel. Nie war mir so stark und so beklemmend deutlich, daß der Homunculus mehr als eine müßige Erfindung ist. Das Bild des Menschen wird magisch vorausgesehen, und wenige ahnen die fürchterliche Tiefe der Entscheidung, die der Maler fällt.«

Als ich das Porträt von Dora Maar bei einem Kollegen zum ersten Mal sah, war ich von seiner Dynamik überwältigt, und ich beschloß, es für mich privat zu erwerben. Es schien mir das ideale Bild für den Platz über dem Kamin in meiner Wohnung. Ich ließ es mir nach Hause bringen und bat Jeanne, mir beim Aufhängen zu helfen.

Jeanne war entsetzt. Sie fand das Gemälde brutal, geradezu abstoßend. Sie konnte es nicht fassen, daß ich mit einer solchen »Scheußlichkeit« leben wollte. Um sie zu beruhigen, behauptete ich, das Bild müsse als eine Art Ausstellungsstück in meiner Wohnung hängen, damit die Sammler, die zum Mittagessen kämen, es besser beurteilen könnten und Geschmack daran fänden. Auf diese Weise könnte ich das Bild wohl schon bald verkaufen, wahrscheinlich an einen Amerikaner.

Jeanne blieb untröstlich. Sie habe schon viel von Picasso gehört, aber daß er so gräßliche Bilder male, könne sie nicht begreifen. »C'est une honte«, sagte sie, »eine Schande.« Bald schwiegen wir zu dem Thema. Dora Maar war zwischen uns tabu geworden.

Vier, fünf Monate später trat das ein, was ich mir Jeanne zum Trost nur ausgedacht hatte. Ein amerikanischer Sammler kam zum Mittagessen – Jeannes Kochkünste hatten unter dem »Monstrum« keineswegs gelitten –, begeisterte sich für den Picasso und wollte ihn kaufen. Schweren Herzens entschloß ich mich zu diesem Schritt, und ein paar Tage später erschienen die Transporteure, um das Bild abzuholen. Als sich die Männer im Wohnzimmer zu schaffen machten, trat Jeanne aus der Küche dazu und drehte sich zu mir mit Tränen in den Augen.

»Aber Jeanne, was ist denn?« fragte ich.

»Das Bild – kommt es denn weg?«

»Es ist verkauft, Jeanne.«

Sie war bestürzt. »Ein so schönes Bild, Monsieur!«

Jeanne war nicht zu trösten. »Ich habe mich so sehr an das Bild gewöhnt. Jetzt, wo es weggeht, weiß ich, daß es mir fehlen wird.« Und nach einer Pause fügte sie nachdenklich hinzu: »Ich hätte nie gedacht, daß ich wegen einem Picasso weinen würde.«

Picasso hat es seinen Betrachtern nicht immer leicht gemacht. Ein paar Jahre später, 1961, habe ich für meine Privatsammlung ein großes, farbkräftiges Bild von 1941/42 erworben. Meine Frau Bettina konnte mit dem Bild genausowenig anfangen wie seinerzeit Jeanne mit dem Dora-Maar-Porträt. Bettina kam aus der Welt des Theaters und des Films, und moderne Malerei war ihr relativ fremd. »Mit diesem Bild kann ich nicht leben«, sagte sie, »es tut mir leid.«

»Soll ich es verkaufen?« fragte ich.

»Wenn du kannst…«

Also verkaufte ich den Picasso zu einem stolzen Preis an Dr. Franz Meyer, den Nachfolger von Georg Schmidt am Kunstmuseum in Basel.

1992 hing die *Sitzende Frau mit Hut* als Basler Leihgabe in der Ausstellung »Picasso nach Guernica« in der Neuen Nationalgalerie in Berlin. Im Katalog war das Bild ganzseitig in Farbe abgebildet, stark und monumental, überwältigend in seiner intensiven blauen und stahlgrauen Farbgebung. »Das ist das Bild«, sagte ich zu Bettina, »das ich kurz nach unserer Heirat ans Basler Museum verkauft habe.«

»Warum eigentlich?« fragte meine Frau.

»Ja, warum eigentlich?«

Letzter Besuch in Cannes

In Los Angeles hatten Bettina und ich einen Freund, dem wir sehr zugetan waren. Er war ein Riesenkerl, beleibt, bärtig, eine Art Rübezahl, der voller Einfälle steckte, dessen Launen sich mitunter aber bis zur Hysterie steigerten. Maßlos und überschwenglich in allem, was er tat, war er vor allem eines: kunstbesessen. Bettina und ich liebten ihn. Er hieß Frank Perls, war der Sohn eines Berliner Kunsthändlers – ein herrliches Porträt seiner Mutter von Edvard Munch hängt im Kunstmuseum in Basel –, und wie sein Bruder Klaus, der eine Galerie an der Madison Avenue in New York betrieb, war er ebenfalls im Kunsthandel tätig. Gegenüber seinem erfolgreichen Bruder empfand Frank Ressentiments. Mit Ironie und einer leichten Spur von Neid sagte er über ihn gern: »Wenn ich den Namen von Klaus höre, bekomme ich Klaustrophobie.«

In den fünfziger Jahren hatte unser gemeinsamer Freund Curt Valentin Frank zu mir in die Galerie gebracht, und bald waren wir unzertrennlich oder, wie wir sagten, »kunstzertrennlich«. Mit Frank hatte man selten eine ruhige Minute. Er war der Inbegriff dessen, was man einen schwierigen Menschen nennt; er fiel von einer Depression in die andere (aus denen er allerdings rasch wieder herausfand) und war von Unruhe und allen möglichen simulierten und eingebildeten Krankheiten geplagt. Kurz: Frank war ein Hypochonder. Sobald er meinte, es ginge ihm nicht gut, flüchtete er ins Amerikanische Hospital in Paris. Die Ärzte wußten meist nicht, was sie mit ihm anfangen sollten, und zwei oder drei Tage später wurde er aufgefordert, das Krankenhaus zu verlassen. Inzwischen hatte sich Frank beruhigt.

Sonntags morgens, wenn er zu uns zum Frühstück kam – er war sehr oft in Paris –, klingelte er stürmisch, begierig auf seinen Kaffee, der auf dem Tisch zu stehen hatte, wenn er die Wohnung betrat. Beladen mit dicken Wochenendzeitungen, Croissants, Brioches und Blumen stand er dann in der Tür und schrie nach einem Valium. Bettina legte ihm ein harmloses Antihistamin, das man rezeptfrei in jeder Apotheke bekommt, wie eine Hostie auf die Zunge, er schloß genießerisch die Augen und sagte: »Jetzt geht es mir schon viel besser.«

Einmal flog ich mit ihm von Paris nach New York. Das Lautsprechersystem an Bord war durcheinandergeraten und machte einen höllischen Lärm. Frank konnte es nicht länger ertragen, stand auf, stellte sich in den Gang und schrie mit seiner gewaltigen Baritonstimme über die Köpfe der befremdeten Passagiere hinweg – wir waren mitten über dem Ozean: »Ich halte das nicht aus. Dieser Krach macht mich verrückt. Stoppen Sie die Maschine, ich will aussteigen. Sofort!«

Das war mein Freund Frank.

Eines Tages, es war Februar 1969, rief er mich aus Los Angeles an. Er habe ein aufregendes Geschäft in Aussicht und sei auf dem Sprung nach Paris, ich sollte mich bereit halten. Wir hatten bereits mehrere Geschäfte gemacht, die man in der Fachsprache des Kunsthandels »à meta Geschäfte« nennt. Darunter versteht man Geschäfte, bei denen sich mehrere Händler, meist zwei, zusammenschließen, um gemeinsam ein Kunstwerk zu erwerben. Zu den interessantesten Transaktionen, die ich mit Frank Perls durchführte, gehörte der Erwerb einer Reihe bedeutender früher Zeichnungen, meist Karyatiden, von Modigliani aus dem Besitz von Dr. Alexandre, einem Pariser Arzt, der vor dem Ersten

Weltkrieg ein Freund und Mäzen des jungen italienischen Malers gewesen war.

Ich erwartete mit Spannung die Ankunft meines Freundes. An Ideen hatte es ihm nie gemangelt, aber ich mußte mich in Geduld üben, denn er war – typisch Frank – von der langen Reise so erschöpft, daß er sich erst einmal ins Bett legte. Am nächsten Morgen rief er mich an. »Ich habe zwölf Stunden am Stück geschlafen«, verkündete er stolz, »jetzt bin ich voll einsatzfähig.« Und nun berichtete er: Maya, eine Tochter Picassos, die mit Frank befreundet war, hatte ihn in Kalifornien angerufen. Ihre Mutter, Marie-Thérèse Walter, die Geliebte Picassos in den dreißiger Jahren, brauche dringend Geld und sei bereit, Bilder von Picasso aus ihrem Besitz zu verkaufen. Das hörte sich tatsächlich sehr aufregend an. Neben Fernande Olivier in der blauen Epoche sowie Dora Maar, die Marie-Thérèses Nachfolgerin wurde, und Jacqueline, seiner späteren Frau, hat wohl keine Gefährtin des großen Künstlers ihn so inspiriert wie Marie-Thérèse.

Wir gingen zu ihr. Sie wohnte in bescheidenen Verhältnissen am Anfang des Boulevards Henri IV., mit Blick auf die Seine. Wir lernten eine ältere, stille, recht bescheidene Frau kennen, deren klare, saubere Gesichtszüge uns wie aus weiter Ferne die aufregende Frische der Bilder ins Gedächtnis riefen, die Picasso von ihr in den dreißiger Jahren gemalt hatte. Diese Porträts gehören meiner Meinung nach zu den schönsten seines Gesamtwerks.

Wir setzten uns an einen einfachen runden Holztisch und schauten uns um. Bilder waren keine zu sehen. Aus dem Nebenzimmer holte Marie-Thérèse freundlich und ruhig – Frank zitterte am ganzen Körper – ein paar Umschläge. »Interessiert Sie das?« sagte sie und öffnete die Couverts: Briefe über Briefe, alle von Picasso, in denen er ihr mit

Leidenschaft Liebeserklärungen machte. »Diese Briefe«, sagte sie, »würde ich nie verkaufen.«

»Und was hier drin ist, natürlich auch nicht.« Behutsam, wie man eine Schatulle mit kostbaren Edelsteinen in die Hand nimmt, öffnete sie einen Umschlag mit Hunderten von winzigen Fingernägeln. Frank und ich saßen ganz still, starrten die Nägelchen an, als wären es seltene Reliquien. Nach einer Weile sagte Marie-Thérèse: »Er liebte es, wenn ich ihm die Nägel schnitt. Ich tat es einmal die Woche, und jetzt sind das alles, wie soll ich sagen, *Souvenirs, Souvenirs*.« Und mit einem melancholischen Ausdruck in ihrem faltenlosen reinen Gesicht schüttete sie sorgfältig die vielen Picasso-Nägelchen in den Umschlag zurück.

Was war mit den Bildern, von denen Maya gesprochen hatte? Die seien alle im Safe in der Bank. Sie habe uns erst einmal kennenlernen wollen. Wir sollten am nächsten Tag wiederkommen.

Wir wurden nicht enttäuscht. Es handelte sich um etwa zwanzig kleinformatige Ölgemälde, pastos gemalt, stark farbig, darunter einige Stilleben, vor allem aber Porträts von Marie-Thérèse. Wie es eigentlich nur bei Picasso vorstellbar ist, waren Stilleben und Porträts eng verwandt. Auf die Spitze getrieben, könnte man sagen, die Stilleben sahen aus wie Porträts und die Porträts wie Stilleben. In beiden Gattungen spürte man den gleichen Duktus, das gleiche eminent sinnliche Lebensgefühl, die gleiche intensive Heftigkeit des Ausdrucks. Keines der Bilder trug Picassos Signatur, aber sie waren alle, wie wir später feststellten, im Werkverzeichnis von Christian Zervos abgebildet. An ihrer Authentizität gab es keinen Zweifel.

Das Problem war ein anderes. Picasso hatte es sich zur Regel gemacht, Bilder nur zu signieren, wenn er sie verkauft (oder verschenkt) hatte – eine Art Kontrolle. Was er nicht signiert hatte, war demnach unrechtmäßig aus seinem Besitz verschwunden. Warum also waren diese Bilder nicht signiert? Gehörten sie ihm noch? Waren sie bei Marie-Thérèse nur deponiert?

Frank und ich begeisterten uns für die Idee, die ganze Gruppe zu erwerben, und als wir über Preise sprachen, erwies sich Marie-Thérèse als sehr korrekt. Die Frage aber, die vorher unbedingt geklärt werden mußte, war: Hatte sie das Recht, über die Bilder frei zu verfügen? Darüber hinaus war es vom kommerziellen Standpunkt sinnvoll, Picasso dazu zu bewegen, die Bilder zu signieren. So beschlossen wir mit Marie-Thérèses Einwilligung, zu Picasso zu fahren und ihm die Gemälde vorzulegen. Ich besorgte einen großen Koffer, die Bilder wurden sorgfältig verstaut, und wir ließen Picasso wissen, daß wir ihn besuchen würden.

Während wir in Orly auf unseren Flug warteten, wurde New York aufgerufen. Frank drehte sich zu mir: »Warum sollen wir auf Nizza warten? Fliegen wir doch nach New York. Die Bilder sind echt und entsprechen genau dem, was zur Zeit gesucht wird, und wir machen das große Geschäft.« Wir lachten, aber wir flogen nicht nach New York.

Vom Hotel in Cannes riefen wir bei Picasso an. Die Auskunft, die wir erhielten, kannte ich von manchen früheren Besuchen: Der Meister – ein Wort, das Picasso haßte – sei beschäftigt, wir sollten uns am nächsten Tag wieder melden. Es gibt schlimmere Orte zum Warten als Cannes. Am dritten Tag klappte es endlich: Rendezvous um fünf Uhr nachmittag.

Picasso, begleitet von seinem Afghanenhund, stand vor dem Haustor und begrüßte uns herzlich. Er war guter

Laune. Wir spürten, daß es ihm Freude machte, Freunde zu sehen, die ihm Nachrichten »aus der großen Welt« – er meinte die Pariser Kunstszene – brachten. Ob wir die Absicht hätten, bei ihm einzuziehen, meinte er mit Blick auf meinen Koffer. Er führte uns in den großen, mit Büchern und Bildern vollgepfropften Raum, in dem er im allgemeinen seine Gäste empfing. Dort fragte er, leicht ungeduldig, was wir denn nun in diesem riesigen Koffer hätten. »Bilder«, sagte Frank, »Picasso-Bilder von früher.«

Picasso konnte es kaum erwarten, daß wir den Wunderkoffer aufklappten und sorgsam – mit Bildern, zumal ungerahmten, muß man sehr vorsichtig umgehen – eines nach dem anderen aus dem Seidenpapier auswickelten und vor ihm aufstellten. Im Flugzeug hatten wir vorsichtshalber einen dritten Platz für den Koffer gebucht, um das kostbare Gepäck nicht aufgeben zu müssen.

Jetzt war Picasso ganz aufgeregt, er strahlte. »Wie sympathisch von euch, mir die Chance zu geben, Marie-Thérèses Bilder nach all den Jahren wiederzusehen.« Bei jedem Bild, das wir auspackten, verklärte sich sein Gesicht aufs neue, der Raum füllte sich mit freundschaftlicher Wärme. »Und was habt ihr damit vor?« fragte Picasso. Wir hätten gehofft, sagte Frank, daß das Wiedersehen mit diesen Bildern ihm Freude mache, und Marie-Thérèse und wir wären ihm dankbar, wenn er sie signieren würde. »Kein Problem«, meinte Picasso, »das mache ich gern. Wenn ihr morgen wiederkommt, könnt ihr die Bilder mitnehmen. Dann sind die Signaturen getrocknet.«

In diesem Moment öffnete sich die Tür, und Jacqueline, Picassos Frau, trat herein. Ohne uns eines besonderen Grußes zu würdigen, fragte sie schroff: »Was sind denn das für Bilder hier?«

Picasso, sehr ruhig: »Diese Bilder gehören Marie-Thérèse. Berggruen und Perls haben sie hergebracht, um sie mir zu zeigen und damit ich sie signiere.«

»Was? Signieren?« fragte Jacqueline. »Diese Bilder gehören doch dir, Pablito, und nicht dieser frechen Person. Wie kann jemand so schamlos sein? Nur weil du gelegentlich mit ihr geschlafen hast, glaubt sie einen Anspruch auf Bilder zu haben, die bei ihr untergestellt waren. Das Ganze ist einfach unglaublich. Was besitze *ich* denn? Ein einziges Bild, und das nach all den Jahren.« Jacquelines Gesicht hatte einen häßlichen, bösen Ausdruck bekommen.

Picasso blieb weiterhin ruhig: »Doch, es sind *ihre* Bilder, und wenn sie Geld braucht, soll sie sie verkaufen. Die anderen tun das ja auch, Eluard oder Tzara oder Prévert.«

Jacqueline, sich in ihrer Wut steigernd, ließ nicht locker. »Das ist nicht zu fassen. Du sagst, sie braucht Geld. Wenn sie Geld braucht, soll sie sich doch als Putzfrau (sie benutzte das Wort *femme de ménage*) verdingen.« Und dann zu uns gewendet: »Wieso braucht sie eigentlich Geld? Sie bekommt ja dauernd Geld von Pablo geschickt. Was ist denn aus all dem Geld geworden? Das ist wirklich ein Skandal!«

Jacqueline holte ein Scheckbuch und zeigte uns Belege: alle zwei Monate einen kleinen Betrag von vielleicht 1200 Franc, die Picasso Marie-Thérèse schickte. »Verehrte Jacqueline«, sagte ich, »davon kann man nicht leben und nicht sterben.« – »Das ist Unsinn! Diese Frau versucht, Pablito rücksichtslos auszunutzen. Sie sollte mehr Ehrgefühl haben. Die Bilder werden nicht signiert, basta. Am besten wäre es, wenn Pablo sie gleich konfiszierte!«

Mit diesen Worten drehte sie sich um, lief aus dem Raum und schlug die Tür hinter sich zu.

Längere Zeit herrschte Stille. Frank und ich fühlten uns elend, Picasso wahrscheinlich auch. So leise und bescheiden, wie ich ihn nie hatte sprechen hören, sagte er: »Es tut mir leid. Ich weiß, ihr seid anständige Leute, und ich weiß auch, daß Marie-Thérèse Geld braucht. Aber was kann ich tun? Jacqueline würde mir nie verzeihen. Und schließlich lebe ich mit ihr. Nehmt die Gemälde und verschwindet mit ihnen.«

Wir packten die Bilder wieder ein, beklommen und traurig. Picasso sah uns zu, wie versteinert. Dann sagte er plötzlich zu mir: »Sie haben da ja noch eine Rolle. Was ist denn da drin?« – »Ein Exemplar Ihrer *Minotauromachie*«, antwortete ich unsicher und zögernd, »das ich bei Ihrem Drucker Lacourière erworben habe.« – »Zeigen Sie mal«, sagte Picasso.

Ich nahm das Blatt vorsichtig aus der Rolle. »Eigentlich wollte ich Sie bitten, es mir zu signieren, aber jetzt ist wohl nicht der richtige Moment.«

Picassos Gesicht hellte sich auf und bekam plötzlich einen ganz verschmitzten Ausdruck. »Doch«, sagte er, »ich signiere es gern.« Er nahm einen winzigen Bleistiftstummel, der auf dem Tisch lag, und schrieb: »*Pour mon ami Bergruen* [sic!] *Picasso*«. Frank Perls schenkte er ein Buch mit Widmung. Dann gingen wir.

Picasso begleitete uns auf den Vorhof seines Besitzes, gab uns schweigend die Hand und kehrte, leicht gebeugt, ins Haus zurück. Das war das letzte Mal, daß ich ihn sah. Vier Jahre später starb Picasso, 91 Jahre alt.

Auf dem Rückflug nach Paris diskutierten wir lange, ob wir die Bilder von Marie-Thérèse nicht doch erwerben sollten. Sie waren authentisch, legitimiert im Werkverzeichnis von Christian Zervos, und Picasso, trotz des Einspruchs

Picassos »Minotauromachie« mit einer Widmung an mich

von Jacqueline, hatte keine Anstalten gemacht, sie zu be-
schlagnahmen. Für ihn waren sie eindeutig Eigentum von
Marie-Thérèse. Warum kauften wir die Bilder also nicht,
auch unsigniert?

Am Ende verzichteten wir, weil es sonst nur böses Blut
gegeben hätte. Jacqueline wäre mehr als verstört gewesen,
und von anderer Seite – man hat ja nicht nur Freunde im
Kunsthandel – wäre die Frage aufgeworfen worden, ob
wohl alles mit rechten Dingen zugegangen sei. Wir hatten
einfach keine Lust, uns auf ein so delikates Geschäft einzulassen und brachten die Bilder Marie-Thérèse zurück.
Später kaufte ein Kunsthändler in der Schweiz das ganze
Konvolut – ohne Picassos Signaturen.

Marie-Thérèse beging kurz darauf Selbstmord, sie er-
hängte sich.

VIII
Von Händlern und Sammlern

Der Weg zu Kahnweiler

Im Jahre 1920 veröffentlichte Daniel-Henry Kahnweiler unter dem Pseudonym Daniel Henry in München sein bahnbrechendes Buch *Der Weg zum Kubismus.* Als Hommage an den Verfasser dieser Schrift, die später den Mythos Kahnweiler mitbegründete, nenne ich das vorliegende Kapitel *Der Weg zu Kahnweiler.* Zugleich möchte ich die fast ketzerische Frage stellen: Gibt es neben dem Mythos auch einen Fall Kahnweiler? Niemand, soweit ich weiß, hat es je gewagt, an dem Mythos des großen Verfechters des Kubismus zu kratzen.

Der 1884 in Mannheim geborene Daniel-Henry Kahnweiler war ohne jeden Zweifel einer der bedeutendsten Kunsthändler des 20. Jahrhunderts. Lange Zeit wurde er allerdings vehement angegriffen oder beharrlich ignoriert. Als seine Bestände an Bildern, darunter viele wichtige Werke des Kubismus, 1923 im Hôtel Drouot, dem Pariser Auktionshaus, als »Feindesgut« zwangsversteigert wurden, war sein Name so wenig bekannt, daß auf der Titelseite der vier Auktionskataloge sein Name mit zwei »l« (Kahnweil*l*er) gedruckt wurde. Eines Tages gelangte ich in den Besitz eines Versteigerungskatalogs. Der Vorbesitzer hatte bei jeder Nummer, die Kahnweiler ersteigerte, verächtlich *Le boche* an den Rand geschrieben. Auf dieser Auktion kaufte Kahnweiler verbittert viele der Bilder aus »seinem« Besitz zurück. Die erzielten Preise waren im übrigen erschreckend niedrig: Kahnweilers Kubisten waren nicht gefragt. Er selber sprach von einer »Hinrichtung«.

Der Ruhm kam spät. Er setzte erst nach dem Zweiten Weltkrieg ein, vor allem in seinem Heimatland. Bis in die dreißiger Jahre gehörte Kahnweiler keineswegs zu den Kunsthändlern, von denen man sprach. Ambroise Vollard, Paul Rosenberg, Georges Wildenstein oder die Brüder Bernheim waren die großen Namen in Paris. Kahnweiler hatte Mühe, sich gegen sie durchzusetzen, auch finanziell. Das änderte sich schlagartig, als er 1945 aus dem Untergrund nach Paris zurückkehrte, den Kontakt mit Picasso wieder aufnahm und ihn bis zu dessen Tod knapp dreißig Jahre exklusiv vertrat. Picasso war nun weltberühmt, und durch ihn wurde es Kahnweiler auch. Er bekam Einladungen nach Amerika, nach Deutschland und England, er hielt Vorträge, eröffnete Ausstellungen, nahm an internationalen Konferenzen teil. In der Welt der Sammler sprach sich herum, mit welcher Zielstrebigkeit sich dieser stille und unaufdringliche Mann für die Meister des Kubismus eingesetzt hatte.

Kahnweilers Engagement für Picasso, Braque, Léger und Juan Gris war von Anfang an uneingeschränkt und enthusiastisch. Es gab keinen zweiten Apologeten des Kubismus, der so überzeugt und überzeugend war wie der junge Händler aus Mannheim, der 1907 eine bescheidene Galerie – er nannte sie *ma Boutique* – in der rue Vignon eröffnet hatte. Sein Einsatz war streng und kategorisch. Er duldete keine Kompromisse. Die Nachfolger und Epigonen der großen Kubisten lehnte er strikt ab, ihre Arbeiten waren in seinen Augen Kubismus mit Rabatt, billig und banalisierend.

Daniel-Henry Kahnweiler, wie ihn Picasso 1957 sah. Mourlot, Picassos
Meisterdrucker, spricht von »frappierender Ähnlichkeit«

Einmal riskierte er ernsthaften Streit mit einer wichtigen englischen Galerie, zu der er engste Geschäftsverbindungen unterhielt. Die Engländer wollten im Rahmen einer Kubismus-Ausstellung auch Maler wie Metzinger und Gleizes zeigen, was für Kahnweiler eine inakzeptable Verwässerung der Konzeption des Kubismus bedeutet hätte. Er nahm es nicht hin, daß man *seine* Kubisten in Gruppenausstellungen mit den »Ersatzkubisten«, wie er sie nannte, in einen Topf warf. Folgt man John Richardson, dem großen Picasso-Kenner, der an einer monumentalen Biographie Picassos schreibt, dann empfahl Kahnweiler seinen Künstlern, ihre kubistischen Werke in Paris unter Verschluß zu halten, um die Kauffreudigkeit der Sammler durch mühseliges Suchen anzuheizen.

Kahnweiler war von der Strenge eines preußischen Schulmeisters. Picasso beklagte sich oft über die völlige Humorlosigkeit seines Händlers, lobte aber seine Zuverlässigkeit und Integrität. Gleich nach dem Zweiten Weltkrieg, als Kahnweiler aus seinem Versteck im Süden nach Paris zurückkehrte, nahm Picasso den Kontakt mit ihm wieder auf und akzeptierte ihn weiterhin als seinen exklusiven Händler. Es ist ein eindrucksvoller Beweis für die Loyalität Picassos dem Händler gegenüber, der sich wie kein anderer in den schwierigen Jahren des Anfangs für ihn eingesetzt hatte.

Im Jahre 1957 porträtierte Picasso Kahnweiler auf drei großformatigen Lithographien. Fernand Mourlot, der brillante Techniker, der die Lithos in seinem Atelier auf Stein brachte, spricht in seinem Werkverzeichnis der Graphik Picassos von »frappierender Ähnlichkeit«. Picasso zeichnete den kahlköpfigen Händler mit den charakteristischen übergroßen Ohren scharf und kritisch. Der Gesichtsausdruck des 73jährigen ist besorgt, ja bekümmert, er blickt mißmutig und melancholisch in die Welt.

Kahnweiler war kein Mann von Leidenschaften. Die ausgesuchte Höflichkeit, mit der er Menschen begegnete, verstärkte nur noch den Eindruck, daß man es mit einem Pedanten zu tun hatte. Im kleinen Kreis nannte ich ihn gern den *comptable du cubisme* (Buchhalter des Kubismus). Mit schwer nachvollziehbarer Sturheit lehnte er bedeutende Künstler wie Matisse und Miró ab, deren Kunst ihm zu sinnlich erschien, zu dynamisch, nicht intellektuell genug. Auch Giacometti, einen engen Freund seines Schwagers, des Dichters Michel Leiris, akzeptierte er als Künstler nicht. Mit Max Ernst konnte er ebensowenig anfangen, wie er überhaupt den Surrealismus als Richtung verwarf. Gegen die abstrakte Kunst führte er einen lebenslangen Kampf: Kandinsky und Mondrian existierten für ihn nicht, und der Gedanke, daß die abstrakte Kunst viele ihrer Wurzeln im Kubismus hatte, schockierte ihn.

Ein besonderes Kapitel ist Kahnweilers Verhältnis zu Paul Klee. Auch dieser Maler und seine Poesie waren ihm fremd. Man fragt sich, weshalb er Klee zwischen den Kriegen in seiner Galerie vertrat. Bei Ausbruch des Ersten Weltkrieges hatte Kahnweiler, der seine Ferien in Italien verbrachte, nicht nach Frankreich zurückkehren können, wo er als Deutscher sofort inhaftiert worden wäre. Er ging in die Schweiz und fand Aufnahme und Hilfe bei seinem Jugendfreund Hermann Rupf in Bern. Rupf war ein früher Bewunderer und Sammler von Klee.

Als der Krieg zu Ende war und Kahnweiler nach Paris zurückkehrte, überredete ihn Rupf, den von ihm so geschätzten Maler dort zu vertreten. Kahnweiler tat das ohne Überzeugung. Er stellte Klee zwar gelegentlich aus, aber das war eher eine Pflicht gegenüber Rupf, Kahnweilers Herz war nicht dabei. Dieses ambivalente Verhältnis zu Klee zeigte sich unter anderem auch darin, daß er, der allen seinen Künstlern aufwendige Kataloge widmete, nie einen Klee-Katalog herausgab. Auch unter den von Kahnweiler publizierten bibliophilen Pressedrucken findet sich keiner mit Illustrationen von Klee. Ich profitierte von diesem mangelnden Engagement, indem ich Klee von Anfang an zu einem Schwerpunkt meines Ausstellungsprogramms machte. Kahnweiler störte sich daran nicht im geringsten.

Mit dem gleichen Eifer und der gleichen Hingabe, die er den großen Kubisten zuteil werden ließ, befaßte sich Kahnweiler in den zwanziger und dreißiger Jahren auch mit Malern, die meiner Einschätzung nach keinesfalls die Aufmerksamkeit verdienten, die er für sie zu erlangen suchte. Über Jahre hinaus veranstaltete er mit unbeugsamer Hartnäckigkeit Ausstellungen von Künstlern wie Suzanne Roger, Elie Lascaux, E. de Kermadec und Yves Rouvre – heute kennt man nicht einmal mehr ihre Namen.

Daß der große Kahnweiler, der Pionier, der als erster die epochale Wichtigkeit von Picassos *Demoiselles d'Avignon* erkannt hatte – selbst intime Kenner von Picassos Werk wie Vollard und Braque standen ratlos vor diesem Jahrhundertbild –, später seine ganze Energie darauf wandte, Sternschnuppen am Firmament der Kunst zu etablieren, ist für mich bis heute rätselhaft. Wie soll man sich diesen radikalen Wandel in den Bewertungskriterien erklären? War es etwa die Angst, den Anschluß an die Moderne zu verlieren?

In Lausanne gab es einen bedeutenden deutschen Sammler, Dr. G. F. Reber, der zahlreiche herrliche Gemälde von Cézanne besaß, darüber hinaus auch eine Reihe wichtiger Bilder von Juan Gris und Picasso. Gegen Ende seines

Lebens veräußerte er sie, weil er finanzielle Probleme hatte, aber auch, um »junge« Künstler zu kaufen, um sozusagen »nach vorn« zu sammeln. Vielleicht war es bei Kahnweiler ähnlich. Der Wunsch, nicht stehenzubleiben, der Wunsch, in die Zukunft zu investieren, verleitete ihn, um jeden Preis aktuell zu sein. Auf diesem Weg mußten beide, der Sammler wie der Händler, scheitern, denn bei der Beurteilung von Kunst handelt es sich immer auch um eine Generationsfrage. Von ganz seltenen Ausnahmen abgesehen – ich denke an den bekannten amerikanischen Händler Leo Castelli – kann man nur die Kunst kompetent einschätzen, die der eigenen Generation entspricht.

Im Jahre 1950 lernte ich Kahnweiler in seiner diskreten Galerie in der rue d'Astorg kennen. Die Räume waren klein und verwinkelt und strahlten eine gewisse intellektuelle Intimität aus. Als wesentlich jüngerer und unerfahrener Kollege hielt ich damals und auch später mit Kritik zurück; im übrigen verblaßte diese Kritik gegenüber der Bewunderung, die ich für den Daniel-Henry Kahnweiler des reinen Kubismus empfand. Was unsere »Konkurrenz« als Kunsthändler betraf, so gab es sie schon deshalb nicht, weil Kahnweiler über solchen Dingen stand. Auch hatte ich den Eindruck, daß er einen anscheinend begabten Neuling, für den er mich hielt, bei seiner Aufbauarbeit gern unterstützte.

Als sein Unternehmen, vor allem dank Picasso, immer mehr florierte, zog Kahnweiler in eine weiträumige Galerie, die den Charme einer Versicherungsanstalt besaß. Alles wirkte steril und unpersönlich, was Kahnweiler selber offenbar gar nicht merkte. Zu den ehernen Gesetzen des Hauses zählte das Verbot von Blumen. Ich war von der Kälte der neuen Räume schockiert. Die Galerie wurde über Kahnweilers Tod und über den Tod seiner engsten Mitarbeiterin, seiner Schwägerin Louise Leiris, hinaus fortgeführt und befindet sich noch heute am gleichen Ort, in der rue de Monceau 47.

Im Frühjahr 1954 rief mich Kahnweiler an und lud mich zu einem Mittagessen ein, was für ihn durchaus ungewöhnlich war. Er war in seiner Art eher ungesellig und zurückhaltend. Beim Essen machte er mir feierlich einen Vorschlag: Curt Valentin, sein Repräsentant in Amerika, war gestorben, und Kahnweiler trug mir an, die Nachfolge Valentins zu übernehmen. Das hätte für mich bedeutet, nach New York zu ziehen, um dort Kahnweilers geschäftliche Interessen wahrzunehmen. In finanzieller Hinsicht war dieses Angebot überaus verlockend, denn der amerikanische Markt bot ein beachtliches Potential. Dennoch lehnte ich ab. Ich dankte Kahnweiler für sein Vertrauen, erklärte ihm aber, daß ich eine starke Abneigung gegen jede Art von Abhängigkeitsverhältnis hätte. Alles, was mir aufgetragen werde, müßte ich dann vertreten, und darunter seien gewiß Werke, an denen ich weniger interessiert oder von denen ich weniger überzeugt sei. Daraus würden sich gewiß Konflikte ergeben.

Der zweite Grund meiner Ablehnung war, daß ich meine Existenz unbedingt in Europa aufbauen wollte. Ich hatte überhaupt keine Lust, Europa schon wieder zu verlassen und dorthin zurückzukehren, wo ich meine Ideen nicht so verwirklichen zu können glaubte, wie ich das in Frankreich für möglich hielt. Der wohl wichtigste Grund war, daß ich unbedingt aus eigener Kraft etwas auf die Beine stellen wollte, und das am liebsten in Paris und nirgendwo sonst.

Werner Spies, der Kahnweiler über viele Jahre wie kein anderer Kunsthistoriker regelmäßig aufsuchte, schrieb, gewissermaßen beschwichtigend: »Bis in sein hohes Alter hinein blieb er aktiv und streitbar. In einer Zeit, in der alle alles schätzen, war es faszinierend, jemandem zu begegnen, der ausschloß und verwarf. Das Erkannte wog das Versäumte vielfach auf.«

Das scheint mir eine gerechte Einschätzung.

Ärger mit Peggy Guggenheim

Mit den ersten Erfolgen änderte sich manches auch in meinem Privatleben. Die sympathische kleine Studiowohnung in der rue de Lille – ein großer Wohn- und Schlafraum, Bad und Küche – war auf Dauer einfach zu eng. Ich sehnte mich nach mehr Raum: Raum für Bücher, Raum für Bilder, Raum für gelegentliche Partys. Vor allem wünschte ich mir ein Gästezimmer.

In einer kleinen Straße südlich vom Boulevard Montparnasse, rue Gauguet im 14. Arrondissement, wohnte ein guter Freund von mir, der amerikanische Kunsthändler Ted Schempp. Im gleichen Haus lebte auch der Maler Nicolas de Staël, den Ted Schempp sehr verehrte und erfolgreich als Kunsthändler vertrat. Es war Schempps Verdienst, de Staël beim amerikanischen Publikum eingeführt zu haben, und er blieb ihm treu über seinen tragischen Freitod 1955 hinaus.

Ted erzählte mir von einem kleinen leerstehenden Haus unmittelbar neben dem seinen, das zu einem günstigen Preis zu erwerben sei. Es hatte zwei oder drei Schlafzimmer, einen großen Empfangsraum und ein riesiges Atelier.

Alles war in recht gutem Zustand, und nur wenige Veränderungen waren erforderlich, das Ganze für meine Bedürfnisse herzurichten. Das Haus gefiel mir, vor allem auch die Nachbarschaft des Freundes, und so kaufte ich es.

Als ich nach der Renovierung sechs Monate später einzog, war mir unbehaglich zumute. Was sollte ich mit einem so großen Haus? Seit meiner Scheidung gleich nach Kriegsende 1945 hatte ich ein eindeutiges, wenn auch nicht immer ganz strenges Junggesellenleben geführt. Jetzt, weit entfernt von meiner Galerie und meinem Stammlokal, dem Café de Flore, fühlte ich mich plötzlich einsam. Wie sollte ich in diesem mir so fremden, riesenhaft erscheinenden Haus jemals heimisch werden?

Ich beschloß, meine kleine Mietwohnung in der rue de Lille, vis-à-vis von Tzaras Domizil, vorerst nicht aufzugeben und in dem Atelierhaus, auf dessen Erwerb ich mich wohl voreilig eingelassen hatte, zunächst nur probezuwohnen. 24 Stunden hielt ich es in der rue Gauguet aus und war verzweifelt. Ich wiederholte das Experiment noch einmal 24 Stunden, dann gab ich das Probewohnen endgültig auf. Ich war verunsichert und kam mir fast so verloren vor wie in den schlimmsten Tagen meines Emigrantendaseins in Kalifornien. Trotz Ted Schempp, trotz Nicolas de Staël, trotz der freundlichen, aber auch kleinbürgerlichen Atmosphäre in der rue Gauguet beschloß ich, mich rasch nach etwas anderem umzusehen.

Im Nachbarhaus befand sich das Atelier eines Architekten, dessen Bekanntschaft ich inzwischen gemacht hatte. Monsieur Bailleau hörte sich meine Nöte an und machte mir einen Vorschlag. Er habe gerade ein Wohnhaus auf der Westseite des Jardin du Luxembourg gebaut; alles sei verkauft, er selber habe sich und seiner Familie das oberste

Stockwerk reserviert, aber der Besitzer der darunter liegenden sechsten Etage plane, seine Wohnung wieder aufzugeben, nachdem er sich plötzlich und unerwartet habe scheiden lassen.

Ich schaute mir die Wohnung an und war begeistert: vom Schnitt der Appartements, von der herrlichen Lage, vor allem auch von der wundervollen Aussicht über den Jardin du Luxembourg. Vom Balkon sah man ganz Paris: die nahen Kirchen St. Sulpice und St. Germain des Prés, südöstlich das barocke Kloster Val-de-Grâce, im Norden Sacré Cœur, das aus der Ferne gar nicht so häßlich erschien, wie es in Wirklichkeit ist. Diesmal, das spürte ich, brauchte ich nicht probezuwohnen. Ich war wieder in »meiner« Gegend, gewissermaßen zu Hause. Ich kaufte die Wohnung und zog ein. Heute, nach über vierzig Jahren, bin ich dort noch immer glücklich.

Das Problem war, das Atelierhaus wieder loszuwerden. Ein Immobilienhändler, den ich mit dem Verkauf beauftragen wollte, meinte, das Haus sei unverkäuflich. Für Menschen, die es sich leisten könnten, sei das Gebäude nicht repräsentativ genug, zu ungewöhnlich, außerdem liege es in der falschen Gegend. Unkonventionelle Leute wiederum, denen das Haus und die Umgebung gefielen, hätten in der Regel nicht die Mittel, ein Objekt dieser Größenordnung zu erwerben.

Da der Immobilienhändler keinen Erfolg hatte, wurde ich selbst aktiv. Wenn die Gegend und die Straße gut genug waren für Nicolas de Staël, dachte ich, dann sollte sich wohl ein zweiter Künstler finden lassen, der wohlhabend genug war, sich den Luxus eines solchen Hauses leisten zu können. Man verwies mich an den Maler Hans Hartung, der seit vielen Jahren in Paris lebte; Hartung erwarb das Haus und wohnte und arbeitete dort, bis er später in den Süden zog.

Kaum war ich 1955 hoch über den Bäumen des Luxembourg etabliert, ereignete sich etwas noch weit Wichtigeres für mich. Eine Freundin aus meiner Münchener Zeit, Hermi, die Frau des Schauspielers und Regisseurs Leonard Steckel, kam mit einer *ihrer* Freundinnen zu Besuch nach Paris. Die junge Dame in Hermis Begleitung hieß Bettina, sah zauberhaft aus und hatte ein ebenso zauberhaftes Wesen. Bettina, von ihren Eltern nach Bettina von Arnim genannt, war, wie ich erfuhr, die Tochter des berühmten Schauspielers Alexander Moissi. Bald würde ich kein Junggeselle mehr sein.

Kurz nach meinem Einzug in der rue Guynemer hatte ich eine Cocktailparty für Joan Miró gegeben. Ted Schempp fragte, ob er Peggy Guggenheim, die große Sammlerin, die damals schon in Venedig wohnte und zufällig gerade in Paris war, mitbringen könne. »Gern«, sagte ich, »sehr gern.« Peggy Guggenheim war mir natürlich ein Begriff. Ich hatte über die frühere Frau von Max Ernst viel gehört und gelesen, über das tragische Schicksal ihrer Eltern, die auf der *Titanic* ums Leben gekommen waren, über ihre New Yorker Galerie *Art of this Century*, in der sie als erste Werke von Jackson Pollock und anderen jungen Künstlern ausstellte, die bald zu den erfolgreichsten der amerikanischen Kunstszene gehören sollten. Ich war gespannt darauf und freute mich, diese außergewöhnliche Frau kennenzulernen.

Es war ein gelungener Abend. Für heitere Partystimmung sorgten vor allem zahlreiche *Expatriates*, wie man ständig im Ausland lebende Amerikaner bezeichnet. Der Stillste von allen war, wie zu erwarten, der Ehrengast des Abends, Joan Miró. Beim Abschied sagte Peggy Guggen-

Braque. Stilleben. 1913

Picasso
Flasche, Absinthglas, Fächer, Pfeife, Geige,
Klarinette auf Flügel. 1911/12

Picasso. Weiblicher Akt. 1907

heim mit großer Herzlichkeit: »Wenn Sie nach Venedig kommen, melden Sie sich bitte bei mir. Ich würde mich freuen, Ihre Gastfreundschaft zu erwidern. Bis bald, wie ich hoffe. Und nochmals vielen Dank.«

Kurz darauf heiratete ich Bettina. Unser erstes Kind, der blonde Nicolas, kam bald, und zwei Jahre später folgte der winzige dunkelhaarige Olivier. (Micaela, eine Tochter aus einer früheren Verbindung, brachte Bettina mit in die Ehe.) Unsere Trauung fand um die Ecke statt, im Rathaus des 6. Arrondissements, gegenüber der majestätisch schweren Kirche St. Sulpice. Nachdem die Formalitäten erledigt waren, statteten wir unseren ersten Besuch den drei russischen Schwestern ab, die inzwischen umgezogen waren und ihren Kunstbuchhandel in der intimeren Atmosphäre des linken Ufers im Schatten von St. Sulpice weiterführten. Sie nahmen Bettina und mich in die Arme, als wären wir ihre Kinder, und beglückwünschten uns von Herzen.

Am nächsten Tag gaben wir für unsere engsten Freunde ein kleines Hochzeitsessen im *Grand Véfour* am Palais Royal. In meinem Eifer als junger Bräutigam war ich ein paar Tage zuvor in dieses berühmte Restaurant aus dem 18. Jahrhundert gegangen, um das Hochzeitsmenü zu besprechen. Das Restaurant druckte mit viel Geschmack eine Karte mit dem Menü, das ich ausgesucht hatte. Alle waren bester Laune. Alfred Hecht aus London, der großzügigste und gleichzeitig naivste Mensch der Welt, studierte das Menu und fragte dann, leicht enerviert: »Alles schön und gut. Aber kann man nicht à la carte bestellen?«

Für die Hochzeitsreise hatten wir uns – wie konnte es anders sein – Venedig ausgesucht. Stolz erzählte ich Bettina von Mrs. Guggenheim und ihrer Einladung. In Venedig angekommen, rief ich Mrs. Guggenheim mehrmals an, ohne Erfolg. Ich sprach kein Italienisch, und man verstand mich nicht. Schließlich bat ich einen italienischen Bekannten, die Verbindung herzustellen. Er erklärte, wer ich war, daß ich Mrs. Guggenheim in Paris empfangen und sie mich zu einem Gegenbesuch eingeladen hätte. Am anderen Ende der Leitung wurde hin und her geredet, und dann kam die Antwort: »Mrs. Guggenheim läßt Ihnen mitteilen, daß ihre Sammlung täglich von 12 bis 19 Uhr dem Publikum zur Besichtigung offensteht.« Ich war tief enttäuscht, aber Bettina tröstete mich: Es ginge ja darum, die Sammlung zu sehen und nicht Mrs. Guggenheim.

Ein paar Monate später besuchte mich Ted Schempp in meiner Galerie. Bei Louis Carré, einem der neben Kahnweiler und Paul Rosenberg bedeutendsten Pariser Händler, hatte ich kurz zuvor ein wichtiges Bild von Fernand Léger erworben. Es stammte aus den Jahren 1912–1914, der entscheidenden Epoche des Malers, und war den Werken der anderen großen Kubisten Picasso, Braque und Juan Gris eng verwandt, jedoch abstrakter in der Komposition. Solch ein zentrales Bild werde in der Kollektion Guggenheim dringend gesucht, meinte Ted. Ich sollte es der Sammlerin in Venedig unbedingt anbieten. Nach dem enttäuschenden Vorfall in Venedig wollte ich das nicht selber tun, und so übernahm Ted die Vermittlung.

Die Reaktion kam rasch. Mrs. Guggenheim bat darum, ihr das Bild umgehend zuzuschicken, es stand tatsächlich auf ihrer Prioritätenliste. Das Gemälde wurde daraufhin nach Venedig expediert. Es gefiel Mrs. Guggenheim, aber mit dem Preis war sie nicht einverstanden. Außerdem könne sie keine endgültige Entscheidung treffen, ohne das Bild vorher einigen Experten gezeigt zu haben.

Die Experten kamen und äußerten sich durchweg positiv. Zum Schluß wurde noch Douglas Cooper befragt, den Peggy Guggenheim seit Jahren kannte. Auch er war begeistert und riet ihr zu dem Kauf, doch Mrs. Guggenheim ließ sich mit ihrer Entscheidung weiterhin Zeit. Erst viele Monate, nachdem das Bild nach Venedig geschickt worden war, entschloß sie sich endlich, es zu erwerben. Nun begann ein unerträgliches Feilschen. Am liebsten hätte ich sie aufgefordert, das Bild zurückzuschicken, aber das Geschäft war mir wichtig genug, um weiter zu verhandeln. Schließlich einigten wir uns. Mrs. Guggenheim verlangte längere Zahlungsfristen, die ich akzeptierte, aber ich bestand auf einer Anzahlung von zehn Prozent des Gesamtpreises.

Wieder vergingen Monate, ich hörte nichts. Die verlangte Anzahlung war zwar geleistet worden, aber die Frist für die erste Rate war längst verstrichen. Mrs. Guggenheim schwieg. Das Ganze geriet zu einer immer peinlicheren Situation. Auf Drängen von Schempp kam endlich eine Nachricht. Mrs. Guggenheim habe sich in der Zwischenzeit mit weiteren Experten beraten und feststellen müssen, daß der von mir verlangte Preis zu hoch sei. Wir müßten neue Verhandlungen führen. Nun riß mir der Geduldsfaden. In einem unmißverständlich formulierten Schreiben teilte ich ihr mit, daß dieses Gebaren in meinen Augen Anarchie sei, da wir einen durch eine Rechnung belegten und durch ihre Anzahlung bestätigten Kaufvertrag hätten, der uns beide verpflichtete. Es gäbe keinen Grund, von neuem über den Kaufpreis zu verhandeln.

Mrs. Guggenheim reagierte gar nicht. Freunde von mir meinten, es sei vollkommen aussichtslos, sich mit der großen Sammlerin anzulegen. Da sich das Bild schon in Venedig befinde, laufe alles auf einen Prozeß zwischen Frankreich und Italien hinaus, und ein solcher Prozeß sei gar nicht zu gewinnen. Ich sollte mich glücklich schätzen, wenn es mir gelänge, das Bild zurückzubekommen. Das alles war nicht sehr ermutigend, aber ich wollte mich mit so düsteren Einschätzungen nicht abfinden.

Kurz entschlossen flog ich nach New York. Dort suchte ich den prominenten Anwalt Ralph Colin auf, den ich als Sammler kennengelernt hatte. (Colins Sammlung wurde nach seinem Tode bei Christie's in New York 1995 versteigert und brachte Rekordpreise. Allein eine mittelgroße Miró-Gouache auf Papier von 1942, 38 × 46 cm, allerdings von höchster Qualität, fand einen Käufer für 4,7 Millionen Dollar.) Ich übergab Colin sämtliche Unterlagen und weihte ihn in alle Einzelheiten meiner unerfreulichen Transaktion mit Peggy Guggenheim ein. Colin meinte, ich sollte mir keine Sorgen machen, ich hätte die besten Chancen. Beruhigt flog ich nach Paris zurück.

Einen Monat später rief mich der Anwalt an: »Die Angelegenheit ist geregelt. Sie bekommen in den nächsten Tagen Ihr Geld.« Als ein Michael Kohlhaas in der Kunstwelt des 20. Jahrhunderts hatte ich mich erfolgreich behauptet. Ich war stolz darauf, durch Hartnäckigkeit mein Recht erhalten zu haben.

Was hatte Ralph Colin getan? Er hatte durch einen richterlichen Beschluß kurzerhand sämtliche Bankkonten von Mrs. Guggenheim in New York sperren lassen – was in den Vereinigten Staaten unter besonderen Voraussetzungen möglich ist – und ihr über ihre Anwälte mitgeteilt, daß sie keinen Zugriff auf ihr Geld habe, solange die ausstehende Rechnung für das Bild von Léger nicht beglichen sei. Nur auf diese Weise war Mrs. Guggenheim dazu zu bewegen, unseren Vertrag als verbindlich anzuerkennen und zu erfüllen.

Der Besuch der Guggenheim-Sammlung über dem Canal Grande ist einer der Höhepunkte jedes Venedig-Aufenthaltes. Wohl nur wenige ahnen, auf welchen Umwegen das eine oder andere bedeutende Gemälde seinen Weg in diese großartige Kollektion gefunden hat. Und welchen Ärger der Handel mit Bildern bisweilen provoziert.

Coopers Feindschaften

Der von Peggy Guggenheim in letzter Instanz zu Rate gezogene Kunsthistoriker und Sammler Douglas Cooper war viele Jahre lang gewissermaßen mein Hausautor. Er schrieb Einleitungen zu meinen Katalogen, unter anderem zu Picasso, zu Marino Marini, zu Miró, er redigierte und kommentierte für mich Skizzenbücher von Picasso und Léger, und am Ende, nach vierzigjähriger Vorarbeit, durfte ich sein Hauptwerk veröffentlichen, den zweibändigen *Catalogue raisonné* der Gemälde von Juan Gris.

Cooper, australischer Herkunft, in England geboren und aufgewachsen, bewohnte ein prächtiges, spätmittelalterliches Schloß in Südfrankreich, das Château de Castille unweit von Avignon. Als ich ihn kurz nach 1945 kennenlernte, war er etwa 40 Jahre alt und mit einigen der großen Maler unserer Zeit eng befreundet, vor allem mit Picasso. Seine Bewunderung für das Werk von Braque, Miró und Léger, der für das Treppenhaus von Coopers Schloß ein großes Fresko malte, war ebenso grenzenlos wie seine Verachtung seiner Landsleute Francis Bacon und Henry Moore. Aber auch viele bekannte Kunsthistoriker, Museumsdirektoren, Sammler und Händler standen auf seiner schwarzen Liste, und seine beißenden, mit giftgrüner Tinte geschriebenen Schmähbriefe waren in aller Welt gefürchtet. Kein anderer mir bekannter Kunsthistoriker hat so oft und so gern Vitriol verspritzt wie Cooper.

Zu den Opfern seiner epistolaren Ausbrüche gehörten Persönlichkeiten der internationalen Kunstszene wie Carter Brown, Bill Rubin oder John Rewald. Einen Skandal löste Cooper aus, als er in den siebziger Jahren den Direktor der Tate Gallery, Sir John Rothenstein, auf der Freitreppe des Museums nach einer heftigen Attacke in aller Öffentlichkeit ohrfeigte.

Coopers Urteile und Entscheidungen waren für Außenstehende nicht immer klar und nachvollziehbar. So zog er etwa 1983 aus einer laufenden Juan-Gris-Ausstellung in Washington zwei Leihgaben zurück, weil er, wie er in seinem Brief an Carter Brown, den Direktor der National Gallery, wortreich darlegte, so angewidert war »vom Verhalten der amerikanischen Regierung und ihrem idiotischen, verrückten und unverantwortlichen Präsidenten Reagan, daß ich die Vorstellung, mit einer kulturellen Manifestation in Ihrem barbarischen Land assoziiert zu sein, nicht länger tolerieren kann… Zum Teufel mit Amerika und seinem Willen, die Welt zu beherrschen … Kein zivilisierter Europäer kann es sich länger leisten, mit der amerikanischen Nation in irgendeiner Form in Verbindung gebracht zu werden. Daher schicken Sie meine beiden Bilder freundlicherweise sofort zurück.«

Der in jeder Beziehung exzentrische Cooper konnte von unerhörtem Charme und aufrichtiger Herzlichkeit sein – wiederholt habe ich ihn als umsichtigen und großzügigen Gastgeber erlebt –, aber man war nie sicher, wie lange man in seiner Gunst stand. Er bevorzugte auffällige Kleidung in knalligen Farben, und sein ganzes Auftreten erinnerte unweigerlich an Oscar Wilde. Nicht zufällig wählte er als Pseudonym seiner ersten Veröffentlichung, einer Ausgabe von van Goghs Briefen an Emile Bernard, den Namen Douglas Lord, in Anlehnung an Lord Alfred Douglas, den Freund des Autors von *Dorian Gray*. Mit seiner ewig rosigen Gesichtsfarbe, die flinken Augen hinter einer gewaltigen Hornbrille versteckt, wirkte Cooper wie ein gealtertes, ein wenig zu beleibtes Kind.

Cooper war enorm sprachbegabt. Außer seiner Muttersprache – einer seltsamen, von ihm erfundenen Mischung von australischem und Texas-Englisch – beherrschte er fließend Deutsch, Italienisch und Französisch. Einmal hielt er im Louvre einen anderthalbstündigen Vortrag auf fran-

Auf Schloß Castille zum Essen mit Picasso. In der Mitte Cooper, links John Richardson, der große Picasso-Forscher

zösisch über Matisse – ohne jegliche Notizen, ein rhetorisches Feuerwerk, das selbst die kritische Tochter des Malers, Marguerite Duthuit, stark beeindruckte.

Coopers eigentliche Domäne war der Kubismus. Neben dem von ihm als pedantisch und phantasielos attackierten Kahnweiler galt er als der beste Kenner dieser Bewegung, mit der er sich nicht nur theoretisch auseinandersetzte. Cooper *lebte* mit dem Kubismus. Als junger Mann hatte er in den frühen dreißiger Jahren 100 000 Pfund geerbt und diese systematisch und kenntnisreich in Werken von Picasso, Braque, Léger und vor allem Juan Gris angelegt. Sein Schloß im Süden war wirklich, wie die Kunstzeitschrift *L'Œil* schrieb, *Le Château du Cubisme*.

Dieser Besitz wurde rasch nach seiner Instandsetzung 1950 zu einem Zentrum des künstlerischen und literarischen, aber auch des politischen Lebens, und Cooper genoß die Besuche aus aller Welt. Der Gastgeber, beschwingt von seinem Erfolg, vermochte eine stimulierende Atmosphäre zu schaffen, in der die Kunst den Tagesablauf bestimmte, ohne daß dies von den Gästen jemals als unentrinnbare Pflicht oder gar als Bedrückung empfunden worden wäre. Alle kamen gern: Picasso und Léger, der auf Castille seine zweite Hochzeitsreise verbrachte, der Bürgermeister von Marseille wie auch Ministerpräsident Pierre Mendès-France. Auf Castille eingeladen zu sein, wurde von allen als Auszeichnung angesehen. Daß Cooper allerdings die Rolle von Gertrude Stein übernommen hätte, mit der er sich als leidenschaftlicher Sammler gern verglich, hat außer ihm selbst wohl keiner so recht geglaubt.

Cooper war ein kompetenter, aber auch launischer Sammler. Während des Krieges hatte er bei der Witwe von

Klee eine Reihe von vorzüglichen Aquarellen des Künstlers erworben. Eines Tages dekretierte er, daß Klee im Grunde nicht zu den wirklich wesentlichen Malern unserer Zeit gehöre. Klee war ihm nicht nahe genug bei den Kubisten. So beschloß er, mit einer einzigen Ausnahme – in Erinnerung an frühere »Sünden«, wie er sich ausdrückte –, alle seine Klees zu verkaufen. Da er meine Leidenschaft für Klee kannte, bot er mir 1955 die gesamte Gruppe zum Erwerb an, und diesem Kauf verdankte ich einige der schönsten Arbeiten meiner Sammlung. Coopers Urteil konnte mich nicht im geringsten beeinflussen.

Als es darum ging, Coopers Werkverzeichnis von Juan Gris in Druck zu geben, gerieten wir ernstlich aneinander. Cooper plante, im Anhang eine Reihe von Bildern zu veröffentlichen, die nach seiner Meinung eindeutige Fälschungen waren. Das ging soweit in Ordnung. Problematisch dagegen fand ich – und das war typisch für meinen Autor –, daß er nicht nur die Fälschungen selbst, sondern darüber hinaus auch publizieren wollte, wer die Besitzer dieser Fälschungen waren und welche Händler sich damit befaßt hatten. Das war juristisch mehr als heikel. Aber Cooper ging noch einen Schritt weiter. Eine Arbeit, die aus den und den Gründen nicht als authentisch gelten könne, schrieb er, sei von der bekannten Kunsthandlung – es folgte ein prominenter Name – angekauft worden. »Obwohl ich die Galerie warnte, daß es sich um eine plumpe Fälschung handelte, hat man sich nicht gescheut, das betreffende Bild an den Sammler – wieder ein prominenter Name – zu verkaufen, der jetzt Besitzer eines wertlosen *Pastiche* ist.«

»Wenn wir das veröffentlichen«, sagte ich zu Cooper, »werden wir glatt verklagt, und ich bin ruiniert. Man wird uns dazu verurteilen, dein Buch einzustampfen.« Cooper war nicht bereit, nachzugeben. Immerhin verständigten wir uns darauf, einen kompetenten Anwalt um seine Meinung zu bitten. Das Verdikt von Roland Dumas, einem Freund von Cooper, der unter Mitterrand Außenminister wurde, war eindeutig: Coopers Kommentare zu den Fälschungen zu veröffentlichen, sei, publizistisch gesprochen, glatter Selbstmord; bestimmte Leute würden dadurch so stark kompromittiert, daß sie gar keine andere Möglichkeit hätten, als sich zur Wehr zu setzen. Am Ende lenkte Cooper ein.

Die Liste der Menschen, mit denen Cooper sich zerstritten hatte, wurde im Laufe der Jahre immer länger. Zum Schluß überwarf er sich auch noch mit jenem Künstler, für den er zeitlebens die größte Bewunderung gehegt hatte: Picasso. Er kritisierte und attackierte Picassos Spätwerk, wo immer sich eine Gelegenheit dazu ergab. Aus unerfindlichen Gründen, die sich nur auf einen selbstzerstörerischen, masochistischen Trieb zurückführen lassen, schrieb er 1973 in der Kunstzeitschrift *Connaissance des Arts* über eine Ausstellung in Avignon, die Bilder seien »zusammenhanglose Schmierereien, ausgeführt von einem wahnsinnigen Greis im Vorzimmer des Todes«. Das war böse und taktlos – kunsthistorisch und menschlich eine schwere Entgleisung. So durfte niemand schreiben, der sich einer jahrelangen Freundschaft mit Picasso rühmte. Liest man diese vulgären Zeilen heute, tut einem Douglas Cooper allerdings sehr viel mehr leid als Picasso.

Douglas Cooper starb nach langer schwerer Krankheit im Alter von 73 Jahren, isoliert und einsam. Jahre zuvor hatte er Castille und das rauschende Schloßleben aufgegeben und sich nach Monte Carlo zurückgezogen, in eine Art

Bunker, wie er seine letzte Behausung nannte. Neue Kontakte, die er sich etwa zur fürstlichen Familie erhofft hatte, stellten sich nicht mehr ein: Er war mit zu vielen Menschen zerstritten, und dies eilte ihm nicht nur als Ruf voraus, sondern man spürte es, sobald man mit ihm zusammenkam. Douglas Cooper, einst in der Gesellschaft von Picasso eine so glanzvolle und anregende Persönlichkeit, war müde geworden und verbittert.

In seinem Nachruf für die *Times* berichtete Coopers langjähriger Freund John Richardson, daß Cooper es als einen besonders gelungenen Scherz betrachtete, wenn jemand an einem 1. April starb. Das war seine Art Humor. Er starb am 1. April 1984.

Kunst und Geschäft

»Die Sammler sind doch glückliche Menschen«, schrieb Goethe vor zweihundert Jahren. Wie aber sehen sie aus, diese Glücklichen? Kann man sie möglicherweise sogar erkennen? Sind Sammler allesamt Kunstbesessene? Oder streben viele nur nach Prestige? Wodurch unterscheidet sich der wahre Sammler vom Kunstliebhaber, und was wiederum zeichnet ihn aus vor denen, die Briefmarken sammeln, Blechspielzeug oder Schellackplatten?

Auch wenn ich alle Kunstsammler, die ich im Laufe meines Lebens privat oder geschäftlich kennengelernt habe – die Übergänge sind meist fließend –, Revue passieren lasse: Der typische Sammler, der Sammler par excellence ist nicht dabei. Es gibt ihn wohl auch nicht. Es gibt zurückhaltende, vorsichtige, bedächtige Typen, es gibt spontane und stürmische, es gibt den emotionalen, und es gibt den kühl kalkulierenden Typ – sie alle unter einen Hut zu bringen, ist unmöglich. Gewiß, viele sind seltsam, kompliziert, ja verschroben. Kunst ist für sie eine Lebensnotwendigkeit, mitunter eine Droge. Unter den Getriebenen gibt es aber auch die heimlichen Sammler, die eine Art Doppelleben führen: Niemand ahnt etwas von dem »Laster«, dem sie verfallen sind, und oft erfährt die Welt erst nach ihrem Tod von der Leidenschaft, die sie umtrieb. In dem halben Jahrhundert meiner Tätigkeit als Händler und Sammler habe ich eine Reihe von ihnen kennengelernt, und von einigen dieser Begegnungen will ich berichten.

Zu den ersten Sammlern, die kurz nach meinem Umzug in die rue de l'Université zu mir kamen, gehörte Morton Neumann aus Chicago. Er war groß und schlank, mit lebendigen dunklen Augen, nervös und unruhig. Neumann redete viel und war ständig bilderhungrig. Seine Reisen nach Europa – London, Paris, Venedig (Biennale) – hatten nur ein Ziel: Gemälde. Und immer, wenn er in Europa war, kam er in meine Galerie.

Morton Neumann war ein amerikanischer Selfmademan wie aus dem Bilderbuch. Aus bescheidenen Verhältnissen stammend, war er durch eine kuriose Erfindung zu großem Wohlstand gekommen. Ihm war aufgefallen, so erzählte er, daß viele Schwarze in ihrem Bemühen, sich den Weißen anzugleichen, vor allem unter ihrem krausen Haar litten. Ihr Haar sei für sie zu einem Komplex geworden, und diesen Komplex habe er ihnen mit der Erfindung einer speziellen Salbe nehmen wollen. Mit Hilfe von Chemikern entwickelte er eine Lotion, die er patentieren ließ, um gelocktes Haar zu entkräuseln. Vielleicht handelte es sich nur um eine Legende, in jedem Fall aber war Morton Neumann ein reicher Mann geworden, der seinen Reichtum zur Anschaffung vieler teurer Bilder nutzte.

Neumann besaß eine gehörige Portion Hemmungslosigkeit, und so verschaffte er sich unter anderem Zugang zu Picasso, den er durch seine energische und zugleich skurrile Art amüsierte. Auf dem Weg in den Süden erzählte er mir einmal von einem Geschenk, das er vorbereitet habe. Ich warnte ihn, daß Picasso mit Geschenken überhäuft werde und sich nichts daraus mache. »Meines wird ihm gefallen«, sagte Neumann und zeigte es stolz: eine Armbanduhr, deren zwölf Ziffern durch die zwölf Buchstaben PABLO PICASSO ersetzt waren. Tatsächlich trug Picasso die »Neumann-Uhr«, als ich ihn das nächste Mal besuchte. »Das hat mir Ihr Freund aus Chicago mitgebracht«, sagte er lachend.

Neumanns direkte Art hatte etwas durchaus Gewinnendes. Einmal erschien er mit einem großen Bilderpaket unter dem Arm in meiner Galerie. Ob ich ihm einen Gefallen erweisen könnte? Er habe gerade ein paar Gemälde von Dubuffet gekauft und wäre mir dankbar, wenn ich sie für ihn nach Chicago expedieren könnte. »Gern«, sagte ich, »aber warum lassen Sie das nicht von der Galerie erledigen, in der Sie die Bilder erworben haben?« Neumann erklärte mir, daß er dem Händler nicht traue, er sei ihm zudem unsympathisch. »Ja«, meinte ich, »wenn Sie dem Händler nicht trauen, warum kaufen Sie dann bei ihm?« Wie aus der Pistole geschossen antwortete Neumann: »Ich kaufe ja nicht den Händler, ich kaufe die Bilder.«

Auf einer seiner vielen Reisen nach Europa – damals reiste man noch mit dem Schiff – traf er Miró und dessen Frau, die von einer Ausstellung im Museum of Modern Art zurückkehrten. Neumann war glücklich, die Bekanntschaft eines Malers zu machen, den er seit langem sammelte und verehrte. Ich fragte mich allerdings, wie die beiden sich verständigten, denn Miró sprach kein Wort Englisch und Neumann weder Französisch noch Spanisch. Der Künstler hörte offenbar interessiert und höflich den wortreichen, für ihn gänzlich unverständlichen Ausführungen zu.

Die unerwartete Begegnung brachte Neumann gleich auf eine Idee – an Ideen mangelte es ihm nie. Es blieben noch fünf gemeinsame lange Tage an Bord des Schiffes. In dieser Zeit, so setzte er es sich in den Kopf, wollte er Miró dazu bewegen, ihm ein Bild mit Widmung zu malen. Aber wie sollte man auf einem Schiff mitten im Ozean Malmaterial beschaffen? Neumann fand rasch eine Lösung. Im Schiffskiosk gab es zwar nicht den gewünschten Künstlerbedarf, dafür aber Schokolade, Kaugummi, Marzipan und Bonbons. Das alles kaufte er in Mengen, ging in den schiffseigenen Kindergarten und beschenkte die Kleinen großzügig. Im Tausch für die Süßigkeiten schwatzte ihnen Onkel Morton Pinsel, Kreide und Buntstifte ab. Das Resultat war ein wunderschönes poetisches Bild des gutmütigen Miró: *pour mon ami Monsieur Morton Neumann.*

Ein anderer amerikanischer Sammler, den ich schätzte, aber nur selten sah, war der Architekt Samuel Marx, ebenfalls aus Chicago. Eines Tages stand er in meiner Galerie. »Mr. Berggruen?« Er griff in seine Brieftasche. Ich dachte, er würde mir seine Visitenkarte reichen. Statt dessen gab er mir ein kleines Stück Packpapier, auf dem in der unverkennbaren Handschrift Picassos drei Namen standen:

Berggrune [sic!]
Leiris
Knoedler

»Ich war im Süden«, sagte der Herr, »und habe Picasso besucht. Ich fragte ihn, wo ich in Paris Bilder von ihm in guter
Qualität finden könnte. Da gab er mir den Zettel mit diesen
drei Namen.«

Leiris war die Galerie von Kahnweiler, Knoedler die Pariser Filiale der alteingesessenen New Yorker Firma, die von
meinem Freund Lionel Prejger geleitet wurde. Das Zettelchen mit den drei Namen, eine äußerst sympathische Einführung für Marx und ein Kompliment für mich, bewahre
ich bis heute.

»Ich höre«, sagte Mr. Marx, »Sie haben ein gutes Auge und
Qualitätsgefühl. Ich möchte Ihnen folgendes vorschlagen:
Sie gehen durch ihr Lager, wählen das Bild aus, das Sie von
allen für das Beste halten, dann komme ich wieder und
schaue es mir an. Wenn es mir gefällt und der Preis stimmt,
kaufe ich es.«

Das war eine wirkliche Herausforderung. Ein glücklicher Zufall wollte es, daß ich ein besonders wichtiges Bild

von Picasso aus der frühkubistischen Zeit in meinen Beständen hatte, ein Porträt der Fernande von 1909. Es war zweifellos das Glanzstück meines Lagers. Wie verabredet, kam Samuel Marx am nächsten Morgen wieder. Ich ließ ihn eine halbe Stunde allein mit dem Picasso auf der Staffelei in meinem Büro. Als er herauskam, sagte er nur: »Das ist wirklich ein herrliches Bild, was kostet es?« Samuel Marx war kein Mann der großen Worte. Ich nannte ihm den Preis, und ohne zu handeln, erwarb er es.

Etwa zwei oder drei Jahre später rief er mich aus Chicago an. Er habe in der Matisse-Monographie von Alfred Barr ein wichtiges Bild von 1913/14 gesehen, *Frau auf einem hohen Stuhl hockend*, das Barr zufolge im Besitz der Familie sei. Wenn das stimme, würde er es gern erwerben. Ich sollte ihm Bescheid geben.

Ich sprach mit Madame Duthuit, der Tochter von Matisse, und erfuhr, daß das Bild ihr gehörte. Sie war bereit, es zu einem guten Preis zu verkaufen. Die Summe, die sie nannte, erschien mir korrekt, ich rief Marx in Chicago an, er war einverstanden, offerierte mir spontan eine Kommission von zehn Prozent und erwarb das Gemälde. So einfach war in den fünfziger Jahren eine wichtige Transaktion.

Natürlich gab es auch ausgesprochen schwierige Kunden. Ich erinnere mich an einen New Yorker Finanzier, Mr. Z., der einmal ein schönes Ölbild von Klee aus dem Jahr 1925 bei mir erworben hatte. Mr. Z. war von Natur aus mißtrauisch und argwöhnisch. Da er mir offenbar mehr vertraute als anderen, kam er oft vorbei, um mir zu erzählen, was er an aufregenden Bildern im Pariser Handel gesehen hatte, und um Rat zu bitten. Einmal war er an einem großformatigen Gemälde aus der späten Zeit von Picasso interessiert, das ihm Kahnweiler gezeigt hatte. Er hätte es gern gekauft, aber der Preis erschien ihm zu hoch. Fast täglich ging er in die Galerie Leiris, um das Bild erneut zu studieren, aber auch, um stets aufs neue über den Preis zu verhandeln. Endlich schienen sich die beiden geeinigt zu haben. »Morgen kaufe ich den Picasso«, sagte er mir eines Tages, sichtlich erleichtert.

Am nächsten Nachmittag erschien er wieder. »Kann man Ihnen gratulieren?« fragte ich. Er wirkte verstört. »Nein, ich habe das Bild nicht gekauft.« Was denn passiert sei, wollte ich wissen. »Als ich an Kahnweilers Schreibtisch saß, um meinen Scheck zu schreiben, drehte ich mich intuitiv zu ihm um. Er stand, vornübergebeugt, direkt hinter mir. Da bemerkte ich auf seinem Gesicht einen seltsam unsympathischen Ausdruck, eine Mischung aus Gier und Befriedigung, und das gefiel mir gar nicht. Schlagartig hatte ich keine Lust mehr, das Bild zu kaufen. Ich zerriß den Scheck und ging fort.«

Die Italienerin

Ich stand noch ziemlich am Anfang meiner Laufbahn als Kunsthändler, als ich von einer gepflegten älteren Dame, die für den großen internationalen Händler Georges Wildenstein arbeitete, auf ein wichtiges Bild von Picasso aufmerksam gemacht wurde, das sich im New Yorker Lager von Wildenstein befand. Es handelte sich um das großformatige Gemälde *Die Italienerin* von 1917, zweifellos das bedeutendste Werk aus der glücklichen Zeit, die Picasso mit dem Ballett von Diaghilev und seiner jungen Braut Olga in Italien verbrachte.

Das Bild sollte 40 000 Dollar kosten – es ist seltsam, wie man sich an bestimmte Preise genau erinnert –, und ich kaufte es, ohne es gesehen zu haben. Das war unvorsichtig, eigentlich übermütig, aber ich war unendlich stolz, daß ich die Möglichkeit hatte, ein so zentrales Werk zu erwerben. Etwas naiv fürchtete ich damals noch, die Chance, das Bild in meinen Besitz zu bringen, würde verstreichen, falls ich nicht sofort zugriff. *Die Italienerin* wurde von New York nach Paris geschickt, und dort, in den eleganten Räumen von Wildenstein, sah ich das Gemälde zum ersten Mal. Inmitten prächtiger Möbel des 18. Jahrhunderts und umgeben von alten Meistern stand *Die Italienerin* in Wildensteins Mini-Versailles vor mir.

Ich war sehr glücklich über meine Erwerbung, aber ich mußte praktisch denken. Wo sollte ich das große Bild unterbringen? Ähnlich wie seinerzeit, als ich bei meinen Russinnen die Toulouse-Lautrec-Mappe deponierte, fragte ich Monsieur Wildenstein, ob ich das Bild bei ihm lassen könne, um es gelegentlich einem Kunden zu zeigen. Das sei kein Problem.

Damals fuhr ich oft in die Schweiz, wo ich verschiedene Museen und Sammler besuchte. Einen besonders guten Kontakt hatte ich zu Georg Schmidt, dem Direktor des Kunstmuseums in Basel. Ich schrieb Schmidt von meiner Neuerwerbung. Er antwortete postwendend: Er kenne das Bild nur von Reproduktionen, er halte es aber für besonders wichtig und würde es sich gerne in Paris ansehen.

Als er dann kam, fuhren wir in die rue La Boëtie. Georg Schmidt war von der *Italienerin* begeistert. Während er das Bild betrachtete, sah ich, wie uns durch die Spalte einer nicht ganz geschlossenen Schiebetür ein großes dunkles Auge beobachtete. Es war wie bei Hitchcock. Dann öffnete sich langsam die Schiebetür, und herein trat Monsieur Wildenstein. Er begrüßte Dr. Schmidt herzlich: »*Cher ami*, welche Freude, Sie in meinem Hause zu haben.« Ich kam mir ganz klein und geradezu überflüssig vor. »Ihr Besuch ist eine große Ehre für uns, und ich habe ein paar bedeutende Werke, italienische aus dem 16. Jahrhundert, die ich Ihnen zeigen möchte, zum Beispiel...«

Schmidt unterbrach ihn. »Schon recht, Monsieur Wildenstein, aber im Augenblick bin ich an dem Picasso von Herrn Berggruen interessiert, und ich will ihn noch genauer studieren.« Wildenstein ließ nicht locker. Mit nicht zu überbietender Chuzpe insistierte er: »Sie wollen doch bedeutende Dinge sehen, *cher ami*, schöne *alte* Meister.«

Es war bekannt, daß Georges Wildenstein keine Beziehung zu Picasso hatte. In den zwanziger Jahren hatte er zwar vorübergehend einen Vertrag mit seinem Schwager Paul Rosenberg, der damals Picassos Händler war. Aber es war nur Wildensteins Geld, das dabei war, nicht sein Herz. Er war weltweit führend auf dem Gebiet der alten Meister, aber schon bei der Kunst des 19. Jahrhunderts ließ sein Interesse nach. Daß Georg Schmidt eigens nach Paris gekommen war, um sich ein Picasso-Gemälde anzusehen, lag außerhalb von Wildensteins Vorstellungskraft. Genau diesem Desinteresse an Picasso hatte ich es zu verdanken, daß ich überhaupt in den Besitz eines so bedeutenden Bildes wie der *Italienerin* gekommen war.

»Für mich«, sagte Georg Schmidt, »ist der Picasso ein herrliches Bild, vielleicht wichtiger als mancher alte Meister. Ich bin sehr froh, dieses Bild sehen zu können.«

Schmidt wollte den Picasso gern für Basel erwerben, aber die Krankheit vieler Museen, der fast chronische Geldmangel, drückte auch ihn. Er hatte jedoch eine Idee. In

Zürich gebe es einen bedeutenden Sammler, den aus Deutschland stammenden Großindustriellen Emil Bührle. Dem werde er raten, das Gemälde zu erwerben. Zwei Wochen später erhielt ich einen kurzen Brief von Dr. Schmidt, er wolle das Bild gemeinsam mit Herrn Bührle anschauen. Diesmal hielt sich Monsieur Wildenstein diskret im Hintergrund, und Emil Bührle erwarb den Picasso für seine berühmte Sammlung.

Von da an besuchte mich Emil Bührle immer, wenn er nach Paris kam. Einmal zeigte ich ihm ein Konvolut von Klee-Aquarellen, er suchte drei der schönsten aus und bat mich, sie ihm nach Zürich zu bringen. Verabredungsgemäß fuhr ich an einem Sonntagvormittag hinaus in seine Villa am Zürichberg. Empfangen wurde ich von Bührles Kindern, die von den Bildern, die ich auspackte, entsetzt waren. »Wie kann der Vater nur so etwas erwerben?« Daß die eigene Familie seiner Leidenschaft mit Unverständnis, ja Ablehnung begegnete, war für manchen Sammler, den ich kennenlernte, ein bitterer Wermutstropfen.

Die Welt der Kunst lebt von Anekdoten – darf ich ein paar hinzufügen? Einer meiner Kunden, Baron Alain de Rothschild, ein Mann von großer Diskretion und Zurückhaltung, kaufte bei einer seiner Visiten in meiner Galerie ein reizvolles Aquarell Picassos aus der Periode der *Saltimbanques* von 1905/06, ein Hochzeitsgeschenk des Künstlers für den Amerikaner Frank Haviland. Ich ließ den Picasso einpacken und schickte mich an, den Baron zu seinem Wagen zu begleiten. »Lassen Sie nur. Ich fahre mit der Métro.« Er nahm das wertvolle Bild unter den Arm, verabschiedete sich und ging die Straße hinunter zur Station Rue du Bac. Ich war beeindruckt: Ein Rothschild fährt mit der Métro, und alles, was ihn von den gewöhnlichen Sterblichen unterscheidet, ist, daß er einen Picasso unter dem Arm trägt.

Auch die Schwester des Barons, die inzwischen ebenfalls verstorbene Cécile de Rothschild, war eine regelmäßige Besucherin meiner Galerie. In ihrer Wohnung am Faubourg St. Honoré besaß sie eine kleine, jedoch außergewöhnliche Sammlung von Bildern des 19. und 20. Jahrhunderts. Mit ihrem energischen Auftreten und ihrer tiefen Männerstimme erinnerte sie mich an Adele Sandrock, die bekannte Berliner Schauspielerin, die zwischen den Weltkriegen Furore gemacht hatte.

Eines Tages erzählte mir die Baronin von der Tochter ihres Silberlieferanten in London, die für einige Zeit nach Paris komme, um ihre Französischkenntnisse zu vervollkommnen. »Die Atmosphäre bei Ihnen scheint mir adäquat, ich möchte, daß Sie die junge Dame anstellen.« Das war, aus dem Munde von Cécile de Rothschild, kein Wunsch, sondern geradezu ein Befehl.

»*Chère Madame*«, sagte ich zögernd, »das wird nicht leicht sein. Ich habe, wie Sie wissen, ein kleines Unternehmen, meine Räumlichkeiten sind begrenzt, wie soll ich da jemanden unterbringen? Offen gesagt, brauche ich auch niemanden, und was soll die junge Dame hier denn tun?«

Die Baronin wurde ungehalten. »Also das sollte wohl kein Problem für Sie sein. In einer Galerie gibt es immer eine Beschäftigung. Sie haben doch eine Bibliothek. Lassen Sie sie die Bücher ordnen.«

Die Bücher ordnen, das würde zwei oder drei Tage dauern. Was dann? Ich fühlte mich unbehaglich. Konnte ich es riskieren, es mir mit den Rothschilds zu verderben? Andererseits ging es mir gegen den Strich, jemanden einzustellen, den ich nicht kannte und den ich nicht brauchte, nur um einflußreichen Kunden gefällig zu sein.

Die Baronin blieb unerbittlich. »Caroline« – so hieß die junge Engländerin – »muß genommen werden. Ich schicke sie Ihnen nächste Woche.«

Und Caroline kam, ein frisches, freundliches junges Mädchen mit mäßigem Französisch. Vor meiner kleinen Bibliothek stehend sagte ich zu ihr: »Die Baronin meint, Sie könnten hier die Bücher ordnen. Bitte!«

Caroline hatte ihre eigenen Ideen. Nachdem sie die Bücher geordnet hatte, ordnete sie Kataloge. Sie schrieb englische Briefe. Sie sprach mit amerikanischen Kunden. Sie legte eine Kartei an. Durch immer neue Initiativen ließ sie einen Leerlauf gar nicht erst entstehen. So machte sich Caroline sehr rasch unentbehrlich. Sie wurde so unentbehrlich, daß ich meiner Sekretärin, die ihre Arbeit routinemäßig, aber ohne besonderes Interesse verrichtete, kündigte und Caroline – ihre Französischkenntnisse hatten sich erstaunlich schnell verbessert – ihre Stelle gab.

Zwei, drei Monate später kam Cécile de Rothschild wieder vorbei. »Also, wie geht's mit der jungen Dame?«

»Ausgezeichnet«, erwiderte ich, »ich bin Ihnen sehr dankbar. Sie ist so tüchtig, daß ich sie zu meiner Sekretärin gemacht habe.«

Kurzes Schweigen. Dann die peinlichste aller Fragen: »Und was zahlen Sie ihr?«

Ich wünschte, die Erde hätte sich aufgetan und mich verschlungen. Was ich zahlte? Ein schändlich niedriges Gehalt. Ich hatte Caroline den Lohn einer Praktikantin geboten, den ich zu erhöhen »vergaß«, als ich sie zu meiner Sekretärin beförderte.

Die Baronin wurde ungeduldig. »Also, wieviel?«

Wie in einer Vision sah ich die machtvollen Rothschilds, die mich wegen gemeiner und hemmungsloser Ausbeutung einer jungen ausländischen Arbeitskraft öffentlich bloßstellten. Stotternd antwortete ich: »Sie meinen, das Monatsgehalt?«

»Ja, das Monatsgehalt.«

»Ich werde das Gehalt erhöhen«, sagte ich, sehr blaß. »Zur Zeit bekommt Caroline 3000 Franc.« (Das waren ungefähr 800 Mark.)

Die Baronin schüttelte verständnislos den Kopf. »Dreitausend Franc? So viel hatte ich nicht erwartet. Das ist hochanständig. Ich freue mich für Caroline.« Und ohne weitere Fragen verabschiedete sich die Baronin mit einem strengen, aber huldvollen Lächeln.

Caroline wurde die beste Sekretärin, die ich je hatte. Zu meinem großen Bedauern ging sie später nach London zurück und eröffnete dort mit zwei Kolleginnen, Camilla Cazalet und Catherine Hodgekinson, eine Galerie, die sich erfolgreich auf moderne Graphik spezialisierte. Sie heiratete Noël Annesley, einen der leitenden Direktoren von Christie's, und mit beiden, Caroline und Noël, bin ich bis heute befreundet.

Ein paar Jahre vergingen, nach meinen Notizen war es 1965, als Cécile de Rothschild mit einer älteren Dame die Galerie betrat. Obwohl es Herbst war und keine Sonne schien, trug die Begleiterin eine dunkle Brille. Ohne mich mit der fremden Dame bekannt zu machen, bat mich die Baronin, ihnen in meinem Büro einige gute Bilder zu zeigen. Ob ich deutsche Expressionisten hätte, vor allem Jawlensky? Leider nicht. Die Damen unterhielten sich auf Englisch. War die Unbekannte eine Amerikanerin? Sie hatte eine tiefe, melodische Stimme.

Ich ging in mein Lager, um ein paar Gemälde zu holen. Dabei bemerkte ich, daß sich in den Ausstellungsräumen eine Horde Photographen herumdrückte. Photographen kamen eigentlich nie zu mir, schon gar nicht in solcher Anzahl.

»Wieso sind Sie hier?« fragte ich.

»Wissen Sie denn nicht, wer da drin ist?« Und sie nannten mir den Namen der Dame mit der dunklen Brille.

Das war natürlich eine Überraschung. Ich hatte nicht die leisteste Ahnung gehabt. Aufgeregt ging ich in mein Büro zurück und betrachtete meinen berühmten Gast genauer, soweit die dunkle Brille das zuließ. Die Dame trug ein mausgraues Tweedkostüm und sah eigentlich so aus, wie man sich eine Lehrerin an einem amerikanischen College vorstellt.

Ich konnte ihr kein Bild präsentieren, das ihr gefallen hätte. Die beiden Damen verabschiedeten sich und verließen sehr schnell meine Galerie, vorbei an den aufgeregten Paparazzi. Draußen wartete eine lange Limousine mit getönten Glasscheiben auf sie.

Das war der kurze Besuch der göttlichen Garbo.

Zu den Persönlichkeiten aus der Literaturszene, die ab und zu in meiner Galerie vorbeischauten, zählte auch der Dichter Louis Aragon. Als Mitglied des Exekutivkomitees spielte er in den fünfziger Jahren eine führende Rolle in der Kommunistischen Partei. Ich erinnere mich, wie ich ihn einmal aus der Galerie hinaus zu seinem Wagen begleitete. Es handelte sich um eine imposante schwarze Citroen-Limousine, das gleiche Modell, das die Regierungsmitglieder benutzten. Er spürte wohl mein Erstaunen und sagte, während er sich neben den Fahrer setzte, mit einem ironischen Lächeln:

»Wissen Sie, der Unterschied zwischen mir und den Ministern ist, daß der Chauffeur mir nicht den Schlag aufreißen muß und daß ich mich vorne neben ihn setze. Schließlich sind wir ja beide Kommunisten.«

So war Genosse Aragon.

Wichtige deutsche Sammler gab es zu der Zeit, als ich im Kunsthandel anfing, wenige. Zu den dezidiertesten gehörte der Mediziner Professor Anselmino, der sich auf Klee spezialisiert hatte. Ein anderer ebenso sympathischer wie zielbewußter Sammler war Bernhard Sprengel, der Schokoladenfabrikant aus Hannover, der seiner Heimatstadt später ein schönes Museum schenkte.

Zu den prominentesten deutschen Sammlern der Nachkriegszeit gehörte ein weiterer Schokoladenfabrikant, der rührige Aachener Megasammler Peter Ludwig. Er kaufte bei mir einmal eine reizvolle Picasso-Federzeichnung von 1921, eine Badeszene (Nr. 26 im Picasso-Katalog der Sammlung Ludwig von 1992). Die Zeichnung befand sich in einem fein geschnitzten Naturholzrahmen aus der Epoche Louis XIII. Ludwig nahm das Bild in die Hand. »Ein schöner Rahmen«, sagte er, »aber sehen Sie mal: die Wurmstiche, die vielen Wurmstiche! Die müssen Sie unbedingt wegbringen.«

»Schon recht, Herr Ludwig«, antwortete ich, »aber wie?«

»Wie?« herrschte mich Ludwig an. »Vergasen, Herr Berggruen, vergasen!«

Ähnlich kalt lief es mir über den Rücken, als ein paar Jahre später der Sektfabrikant Henkell zu mir kam, um sich Bilder von Nicolas de Staël anzusehen. Er kaufte eine farbstarke Mittelmeerkomposition aus de Staëls späten Jahren. Während wir uns noch unterhielten, trat ein junger hochgewachsener Mann in die Galerie. »Das ist mein Neffe«, sagte Herr Henkell. »Adolf, komm mal her, ich möchte dich mit Herrn Berggruen bekannt machen.«

Herr Henkell stellte ihn vor: »Mein Neffe, Adolf von Ribbentrop.«

Der Vater, Joachim von Ribbentrop, war in Nürnberg gehängt worden, weil er mitschuldig war am Mord von Millionen Juden. Jetzt stand der Sohn in meiner Galerie, um sich, artig und zuvorkommend, über ein Bild von Nicolas de Staël zu äußern, das sein Onkel gerade erworben hatte.

Rahmen machen Bilder

Seit ich Bilder sammle, und das sind nun mehr als vierzig Jahre, sammle ich Rahmen. Ich meine alte, kostbare Rahmen. Meist habe ich eine Neuerwerbung erst dann als wirklich gelungen betrachtet, wenn ich den geeigneten Rahmen aufgetrieben hatte. Ein schönes Bild braucht einen schönen Rahmen, der das Bild zelebriert, ihm die Honneurs verschafft, die es verdient. Es ging mir stets darum, um einen Ausdruck von Werner Schmalenbach abzuwandeln, daß meine Bilder nicht »aus dem Rahmen fallen«. Bei einer Neuanschaffung einem passenden Rahmen nachzujagen, habe ich immer als eine besondere Herausforderung empfunden. Einen echten, in Stil und Empfinden einem bestimmten Bild entsprechenden Rahmen zu finden, ist keine leichte Sache. Oft gelingt das erst nach langen Recherchen, und man muß, wie bei allem Sammeln, Glück haben.

Mitte der sechziger Jahre beschloß die Direktion des Guggenheim-Museums in New York, die gesamte ständige Sammlung zu »entrahmen«, die Bilder gewissermaßen auszuziehen und nur mit einer schmalen Holzleiste zu versehen. (Justin Thannhauser, der damals bereits verstorbene Kunsthändler aus München, der in den dreißiger Jahren nach Amerika emigriert war und von dem ein großer Teil der Sammlung stammt, wäre verzweifelt.) Kurz darauf entschied auch der Direktor des Museum of Modern Art, eine entsprechende Entrahmung vorzunehmen: Ein allgemeiner Bilder-Striptease, eine Rahmenstürmerei schien loszubrechen. Ich hielt diesen Purismus für barbarisch.

Unter Kunsthistorikern und Museumsleitern, zu denen auch die Herren vom Guggenheim-Museum und vom Museum of Modern Art gehörten, war damals die Meinung stark verbreitet, jede Reduzierung eines Kunstwerks auf das »Wesentliche« bedeute eine Reinigung. Gold und Schnitzwerk – je kostbarer, desto schlimmer – lenkten nur vom inneren Gehalt eines Bildes ab. Man wollte die Kunstwerke »objektivieren«, sie von allem Dekorativen und Ornamentalen befreien. Meisterrahmen galten den Ideologen dieser neuen Sachlichkeit schnell als Firlefanz. Es fiel ihnen gar nicht auf, daß die sonst so herrlich leuchtenden Werke von van Gogh und Gauguin, Cézanne und Picasso in ihren traurigen bleichen Leisten plötzlich selber ganz traurig und bleich wirkten.

Als ich viele Jahre später zufällig erfuhr, daß man plante, einen großen Teil der Klees, die ich 1984 dem Metropolitan Museum geschenkt hatte, in die monoton anämischen Naturholzleisten zu zwängen, war ich außer mir. Ich gab der Direktion zu verstehen, daß ich dies niemals zulassen würde. Die Museumsleute begriffen gar nicht, was ich wollte; sie glaubten, mein Interesse gelte den Rahmen, und versprachen, diese sorgfältig aufzubewahren. Aber mir ging es nicht um die Rahmen, sondern um die Einheit von Rahmen und Bild, und ich bestand darauf, daß die Rahmen, die ich über Jahre mit Liebe ausgesucht hatte, bei ihren Bildern blieben.

Wie viele große Maler unserer Zeit, die sich überhaupt nicht um die Rahmung ihrer Werke kümmerten und dies ihren Händlern überließen, die meist nur darauf bedacht waren, durch billige Kopien mit möglichst viel Gold oder auch durch kräftige dunkle Imitationsrahmen im spanischen oder holländischen Stil die Verkaufschancen der Bilder zu erhöhen, war auch Picasso, was seine eigene Produktion betraf, nachlässig. Er war nur mit den Werken selbst beschäftigt und überließ ihre Präsentation anderen. Die Bilder, die man bei ihm sah, waren gewissermaßen im Nacktzustand. Seine eigenen Gemälde rahmte er nie.

Gleichzeitig war Picasso ein passionierter Sammler von Rahmen. Zwar hatte er weder die Zeit noch die Geduld, selber authentischen alten Rahmen nachzuspüren, doch mit ihm befreundete Händler – vor allem Vollard – beschafften ihm die Rahmen, die zu den Bildern seiner Sammlung – Cézanne, Renoir, Rousseau, Matisse, Miró – paßten und jene Symbiose herstellten, in der ein Bild erst voll zum Leben erweckt wird. Wer sich davon überzeugen will, braucht nur den Saal seiner Privatsammlung im Picasso-Museum in Paris zu besuchen.

Bei der Wahl meiner Rahmen konzentrierte ich mich im allgemeinen auf italienische und spanische Schöpfungen des 16. und 17. Jahrhunderts. Bei Louis-XIV.-Rahmen war ich nur selten wirklich zufrieden; diese Rahmen empfand ich oft als bürgerlich, konventionell. In den großen Museen der Welt hat heute jeder zweite Renoir – meist aus seiner späteren, flachen Schaffensperiode – einen pompösen, oft falschen Louis-XIV.-Rahmen. Meine Liebe gehörte immer den eleganten, fein geschnitzten, in mattem Gold oder auch in Naturholz (meist Eiche) gehaltenen Rahmen der Louis-XIII.-Zeit, die sich besonders für Klees und Picasso-Zeichnungen aus den frühen zwanziger Jahren eignen.

Mein Herz schlug höher, als ich für eines der Lieblingsbilder meiner Sammlung, Picassos *Gelben Pullover* von 1939, einen spanischen Goldrahmen mit starkem Akanthusblatt-Motiv aus der ersten Hälfte des 17. Jahrhunderts fand. Die Intensität des Ausdrucks der Dora Maar auf diesem kraftvollen Bild wird durch den wuchtigen, beinahe aggressiven Rahmen in loderndem Gold noch einmal gesteigert.

Als ich Cézannes *Der Weg in Chantilly* erwarb, war ich, wie oft bei Neuerwerbungen, mit dem Rahmen nicht zufrieden. Nach langem Suchen – Rahmenhändler müssen eine Engelsgeduld mit passionierten Sammlern aufbringen – fand ich einen geschnitzten neapolitanischen Rahmen des 17. Jahrhunderts. Das Bild, das zuvor in einem müden Kleid etwas Trübes und Melancholisches hatte, erwachte zu neuem Leben, es ging von ihm plötzlich eine Strahlung aus, die sich vorher nur erahnen ließ. Man kann diese Betrachtung auch umkehren. Ein Meisterstück aus einer Werkstatt in Neapel hatte nach dreihundert Jahren seine eigentliche Bestimmung gefunden.

In den frühen sechziger Jahren veranstaltete das Pariser Nationalmuseum für Moderne Kunst eine umfangreiche Retrospektive von Paul Klee. An einem Dienstag – Dienstag ist der Tag, an dem die Nationalmuseen in Frankreich für das Publikum geschlossen sind – besuchte der damalige Staatspräsident Georges Pompidou die Ausstellung. Pompidou war, was bei Spitzenpolitikern eher selten vorkommt, an moderner Kunst interessiert. Wie mir Jean Leymarie, der damalige Konservator, berichtete, ging Pompidou auf ein mir gehörendes Aquarell zu, das ihm offenbar besonders gefiel. Dann betrachtete er lange eine weitere Arbeit aus meinem Besitz. Diese Arbeit stamme wohl aus der gleichen Sammlung, meinte er, man spüre die gleiche Harmonie von Bild und Rahmen. Ich hatte etwa zwanzig Arbeiten für diese Ausstellung geliehen, und Pompidou machte sich ein Vergnügen daraus, sie aufgrund ihrer Rahmen, so verschieden diese auch waren, als meine Bilder zu identifizieren.

Noch ein letzter Hinweis. Bei Ölgemälden sollte man keinen Raum lassen zwischen Rahmen und Bild, also keine »Marie-Louise«, kein Passepartout. Ein Ölgemälde wirkt stärker und intensiver, wenn der dazu passende Rahmen mit einer gewissen Strenge unmittelbar an den Rand des Bildes stößt. Zwischen Bild und Rahmen soll es keine Ablenkung geben. Bei Werken auf Papier dagegen, Aquarellen, Gouachen, Zeichnungen, Pastellen, sollte eine neutrale Zone geschaffen werden. Ich bevorzuge seidenbespanntes Passepartout, das sich im Ton den Farbwerten des Bildes anpaßt.

Oft werden mittelmäßige Bilder in aufwendige, pompöse Rahmen gesteckt. Das ist prätentiös und peinlich. Der Besitzer will die Mittelmäßigkeit kaschieren und ein Bild adeln, das es nicht verdient. Dagegen kann bei einem großartigen Bild der Rahmen gar nicht großartig genug sein. Er sollte grundsätzlich aus der Zeit stammen, denn nur die Patina des Originals strahlt die Wärme der Jahrhunderte aus.

IX
Nebenwege

Man Ray: Krach beim Schach

In den späten vierziger Jahren kehrten viele der Künstler, die vor Hitler geflohen waren, aus Amerika nach Europa zurück. Eines Nachmittags – ich saß wie so oft mit Freunden und Bekannten im Café de Flore – hieß es plötzlich, Max Ernst sei heimgekehrt. Das Gerücht hatte eben die Runde gemacht, als die Tür aufging und tatsächlich Max Ernst hereintrat. Es war ein feierlicher Moment. Alle im Lokal erhoben sich. Manche wußten gar nicht, worum es ging. Max Ernst stand in der Tür und sah mit seinen himmelblauen Augen verwundert in die Runde. Dann haben alle geklatscht.

Max Ernst kam zurück, Chagall kam, es kamen André Breton und der chilenische Maler Matta, und eines Tages kam Man Ray, der große amerikanische Photograph, der auch malte und kleine spirituelle Skulpturen machte. Tzara, der Mann der Kontakte, der mich bei Picasso eingeführt hatte, brachte ihn zu mir in die Galerie. Als Photograph war Man Ray aus der Vorkriegszeit bekannt und geschätzt, aber mit seinen kleinformatigen surrealistischen Skulpturen hatte er sich nicht durchsetzen können. Erst sehr viel später wurden diese Objekte mit Hilfe von Kopien, die man als *Multiples* kommerzialisierte, populär gemacht. Tzara überredete mich, eine Ausstellung mit Man Rays

Objekten zu veranstalten, und so zeigte ich in meiner Galerie zum Beispiel das berühmte Bügeleisen mit den Stacheln oder das Metronom mit dem Auge, das streng und starr hin- und herpendelt.

Unter anderem hatte Man Ray auch ein komplettes Schachspiel geschaffen. Er selber war ein guter Schachspieler, aber sein Freund Tzara ein noch viel besserer. Das entsprach Tzaras Charakter, und mitunter kam es mir so vor, als ob seine scharfen Gesichtszüge nichts anderes widerspiegelten als die scharfe Logik seines Spiels. Als besondere Attraktion der Ausstellung hatten wir uns gedacht, in der Mitte des Hauptsaales, den man von der Straße aus betrat, einen Tisch mit dem Schachspiel von Man Ray aufzustellen. Jeden Nachmittag um Punkt vier trafen sich Tzara und Man Ray, setzten sich an den Tisch und spielten Schach. Das machte die beiden sympathisch, und die Besucher der Galerie folgten fasziniert ihrem Spiel.

Viele Besucher zog die Ausstellung allerdings nicht an. Meine Galerie war noch recht unbekannt. Tzara wurde nur von einem ganz kleinen Kreis akzeptiert, und von Man Rays Skulpturen wollte damals niemand etwas wissen. Zum Glück blieb das Schachspiel. Da saßen die beiden nun, anscheinend ganz von ihrem Spiel absorbiert, jeden Nachmittag einander gegenüber. Aber der Anschein täuschte. Jedesmal, wenn die Tür aufging, blickten sie neugierig auf. Nach einer Weile erhob sich Man Ray und erklärte dem Besucher, der sich für das eine oder andere Objekt interessierte, wie und wann er es geschaffen hatte und was es bedeutete.

Tzara, unruhig und nervös, stand nun ebenfalls auf und mischte sich in das Gespräch ein. Und bald kam der Moment, wo Tzara zu dem Besucher sagte: »Wenn Sie wollen, kommen Sie doch einmal bei mir vorbei. Ich wohne nur ein

Tristan Tzara (in der Mitte) auf einer Vernissage von Kandinsky-Grafik, 1954

paar Minuten von hier entfernt. Am besten gehen wir jetzt gleich. Du entschuldigst uns, Man, in einer halben Stunde komme ich wieder.«

Es dauerte eine Weile, bis ich das »Schachspiel« durchschaute. Tzara hoffte, ein Geschäft zu machen. Er besaß noch Restauflagen seiner verschiedenen bibliophilen Veröffentlichungen, und er rechnete sich Chancen aus, das eine oder andere Exemplar zu verkaufen. Tzara war eben Dichter *und* Geschäftsmann.

Tag für Tag schnappte Tzara dem Freund die Kunden weg, bis es Man Ray zu bunt wurde. Ein ordentlicher Krach war die Folge. »Das hier ist *meine* Ausstellung«, wetterte Man Ray. »Du kannst mir nicht die Sammler wegnehmen,

sie kommen, um *meine* Arbeiten zu sehen, nicht deinet-
wegen. Du bist hier auf Kundenfang und gar nicht, um mit
mir Schach zu spielen. Das ist ja nur ein Vorwand.«

Tzara, nie um ein Wort verlegen, meinte, die Leute interessierten sich genauso für ihn. »Wie kann man nur so bor-
niert und egoistisch sein! Du mußt deinem Freund auch
etwas gönnen.«

Man Ray war *kein* Geschäftsmann, er kam zeitlebens nie
zu wirklichem Erfolg. Über die Jahre fand er zwar immer
mehr Anerkennung, aber dabei ist materiell nicht viel für
ihn herausgekommen. Bei einer Versteigerung aus seinem
Nachlaß 1995 wurden allerdings neun Millionen DM um-
gesetzt.

Als er Ende 1976 in Paris starb, waren wir nicht mehr als
acht oder neun, die ihm auf dem Friedhof Montparnasse
das letzte Geleit gaben.

Wols »photographiert«

Tzara kannte, wie es so schön heißt, Gott und die Welt, er
konnte Leute geschickt manipulieren, und überall wußte er
auf seinen Vorteil zu achten. Aber es gab auch manche, die
seine Absichten durchschauten. Zu ihnen gehörte der Maler Wols, im Hauptberuf Photograph, ein sympathischer,
gescheiter, aber höchst undisziplinierter Mensch. Wols
wohnte im Montalembert, einem Hotel ganz in der Nähe
meiner Galerie, und kam oft vorbei. Er kam, weil er Geld
brauchte. Er trank viel und verkaufte wenig. Die Summen,
die er sich bei mir borgte, waren bescheiden, meist um die
zwanzig Mark, die er immer zurückzahlte.

Wols und Tzara kannten sich gut. Einmal bat ihn Tzara

in seiner strengen Art, zu ihm zu kommen und seine afrikanischen Skulpturen zu photographieren. Nachdem Wols eingewilligt und sie sich auf einen bestimmten Tag verabredet hatten, fügte Tzara hinzu, er könne für diese Arbeit leider nichts bezahlen. »Aber du bekommst ein anständiges Mittagessen.«

Wols ging, wie besprochen, mit einem großen altmodischen Apparat zu Tristan Tzara und arbeitete fleißig bis spät in den Abend. Er nahm sich viel Zeit, trug die schwere Kamera mit Stativ von einem Raum zum anderen, regulierte immer wieder die Beleuchtung und stellte die Linsen richtig ein. Tzara, Wols argwöhnisch beobachtend, arbeitete an seinem Schreibtisch.

Beim Weggehen fragte Tzara: »Wann wirst du die Photos entwickelt haben?« – »In den nächsten Tagen«, antwortete Wols beiläufig, »kein Problem.«

Eine Woche verging, Tzara hörte nichts. Schließlich rief er Wols an. Wols sagte, er habe mit einer Kamera gearbeitet, in die kein Film eingelegt war.

Was Wols damit beabsichtigte, blieb uns allen ein Rätsel. Wollte er Tzara ärgern? Wollte er ihn für seine hochfahrende Art bestrafen? Oder traute er sich nicht, Tzara zu gestehen, daß er kein Geld für die Filme hatte? Trotz der leeren Kamera hatte Wols, wie er mir schmunzelnd erzählte, gründlich und sorgfältig gearbeitet. Und auch das Mittagessen war ganz vorzüglich.

Dem wütenden Tzara gab er gleichmütig zu verstehen, so etwas könne immer mal passieren. Und nachdenklich fügte er hinzu: »Es ist ja nur die *Idee* des Photographierens, die interessiert. Es geht nicht um das Resultat.«

Miró »kommentiert« Cézanne

Zu den großen Malern unserer Zeit, zu denen ich Beziehungen unterhielt und deren Arbeiten ich mehrmals ausstellte, gehörte Joan Miró. Miró war ein besonders reizender, zuvorkommender, gleichzeitig aber auch kleinbürgerlich wirkender Mann. Klein von Statur und bescheiden im Auftreten, hatte er nichts von dem, was man sich gemeinhin unter einem »Künstler« vorstellt.

Miró lebte, als ich ihn in den frühen fünfziger Jahren kennenlernte, auf Mallorca, kam aber regelmäßig nach Paris. Er wurde von der Galerie Maeght vertreten, und dort fanden auch seine großen Ausstellungen statt. Sein Hotel war das Pont Royal auf der linken Seite der Seine, ganz in der Nähe meiner Galerie, wo damals viele Künstler und Kunsthändler zu Hause waren, wenn sie sich in Paris aufhielten.

Ich hatte mir Miró ganz anders vorgestellt. Von seinen spielerischen, phantasievollen Bildern, in denen soviel Poesie steckte, schloß ich auf einen träumerischen, möglicherweise kauzigen Maler, der ähnlich wie Puck in Shakespeares »Sommernachtstraum« die Menschen bezaubert und sie zugleich verwirrt. Irrtum. Miró war vor allem eines: einsilbig. Konventionell wie sein Äußeres waren seine Umgangsformen. Zurückhaltend, freundlich und artig, zeigte er keinerlei Emotionen. Ich hatte Mühe, mir vorzustellen, daß dieser Mann die Bilder, die man mit seinem Namen assoziierte, gemalt haben sollte.

1956 fand in Aix-en-Provence, der Heimatstadt Cézannes, eine Retrospektive mit Aquarellen statt. Wie viele andere fuhr auch Miró zu dieser Ausstellung zu Cézannes 50. Todestag. Georges Duthuit, der Schwiegersohn von Matisse, erzählte mir später, daß er bei der Rückreise nach Paris Miró auf dem Bahnhof von Aix begegnet sei. Die beiden setzten sich ins gleiche Abteil. Um eine Unterhaltung in Gang zu bringen, beugte sich Duthuit, ein großer, starker Mann, nach einer Weile zu dem winzigen Miró herunter und sagte: »Also, Joan, was halten Sie von der Ausstellung?«

Langes Schweigen. Schließlich blickte Miró zu ihm auf und antwortete nachdenklich: »Und Sie?«

Miró hatte Mühe, sich anders als durch seine Malerei auszudrücken. Ich besitze eine Reihe von Briefen von ihm, sorgsam mit der Hand geschrieben, in eleganter Kalligraphie. Diese Briefe sind genauso konventionell, wie er selbst es war. *»Mon cher ami, comment allez-vous?«* Weiter ging es in der Regel nicht. Es waren allesamt Briefe, die über das Konventionelle nicht hinausgingen. Was er mitzuteilen hatte, schrieb Miró auf Leinwand.

Matisse, Henri, artiste-peintre

1952, als ich meine erste Ausstellung mit kurz zuvor entstandenen Radierungen und Lithographien von ihm vorbereitete, kannte ich Matisse noch nicht persönlich. Aber ich wollte ihn möglichst bald kennenlernen, und dies erreichte ich auf denkbar simpelste Weise.

Bei meinem nächsten Aufenthalt im Süden mußte ich einen mir bekannten Buchhändler in Nizza anrufen, um mit ihm eine Verabredung zu treffen. Ich suchte seine Nummer im Telephonbuch. Er hieß Matarasso, und beim Blättern, M, Ma, Mat..., stieß ich auf *Matisse, Henri, artiste-peintre*. Hier war der große, weltberühmte Maler wie jeder Schlosser, jeder Bäcker diskret und bescheiden im Telephonbuch verzeichnet: Matisse, Henri, artiste-peintre. Wenn ein Mensch, der so berühmt ist wie Matisse, im Telephonbuch steht, sollte es nicht sonderlich schwierig sein, mit ihm Kontakt aufzunehmen. Ich wählte seine Nummer. Mal sehen, was passiert, dachte ich. Höflich erhielt ich Auskunft: »Nein, Monsieur Matisse ist zur Zeit nicht in Nizza. Er ist in Paris, da können Sie ihn erreichen.«

Zurück in Paris nahm ich erneut das Telephonbuch zur Hand, und wieder stand dort, genau wie in Nizza, diskret und unspektakulär: *Matisse, Henri, artiste-peintre*, dazu die Adresse, 52 Boulevard Montparnasse, und die Telephonnummer. Eine Dame antwortete, offenbar seine Sekretärin. Wie sich später herausstellte, war sie in der Tat seine Sekretärin, aber zugleich auch das zauberhafte Modell aus den dreißiger Jahren, das Matisse auf vielen seiner schönsten Bilder und Zeichnungen verewigt hat. Sie hieß Lydia Delectorskaya und war eine attraktive blonde Russin, die ihrem *patron*, wie sie ihn immer nannte, seit Jahren ergeben war.

Zweiundzwanzig Jahre, bis zu seinem Tode 1954, war sie seine treue Assistentin.

Lydia erkundigte sich nach meinem Anliegen. Ich sei ein junger Kunsthändler, der noch ganz am Anfang stehe, und ich wäre dankbar, wenn ich einmal vorbeikommen dürfte. Ich hätte gern Zeichnungen gesehen, und vielleicht könnte ich auch einige kaufen. Ich wußte, daß Matisse zu dieser Zeit keinen festen Vertrag mit einem Händler hatte. Wenig später bekam ich Bescheid: Der *patron* werde mich empfangen.

Matisse wohnte in einem großbürgerlichen Haus am linken Ufer, in der Nähe des Café du Dôme. Alles war geräumig und hell. Lydia führte mich ins Schlafzimmer. Dort lag Matisse sorgfältig eingebettet auf seinem Krankenlager. Er hatte verschiedene schwere Operationen hinter sich, und er kam nur allmählich wieder zu Kräften. Er sah aus, wie Kinder sich den lieben Gott vorstellen: schneeweißer Bart, strenges, doch gütiges Gesicht. Die wenigsten Menschen, die im Bett liegen, wirken wie Respektspersonen. Er tat es.

Matisse nahm mich in eine Art Kreuzverhör: Wo ich herkäme, wo sich meine Galerie befände, was ich ausstellte. Ich sprach von Picasso und Klee, und Matisse wurde zugänglicher. »Meine Sekretärin meinte, Sie hätten gern Zeichnungen von mir gesehen.« – »Ja«, erwiderte ich, »und wenn ich darf, möchte ich einige erwerben.« – »Das dürfen Sie«, sagte Matisse, und wir trafen eine Verabredung.

Als ich ein paar Tage später wiederkam, war in einem großen Atelier alles sorgfältig vorbereitet. Das Ganze war wie ein Traum, ich meine, wie der Traum eines Kunsthändlers. Da lagen drei Stöße mit Zeichnungen, nach Format geordnet, kleine, mittelgroße und große. Lydia, die reizend und hilfsbereit war, erklärte: »Das hat der *patron* für Sie ausgesucht. Sie können wählen. Die kleinen kosten 50 000 Franc das Blatt« – alte Francs, also ungefähr 100 Dollar –, »die mittleren 75 000 und die großen 100 000 Franc.« Es handelte sich um Federzeichnungen, die schönsten, die man sich vorstellen kann. Am liebsten hätte ich sie alle erworben, aber das war natürlich unmöglich. Meine Mittel waren beschränkt, und ich mußte mich auf wenige konzentrieren. Zum Schluß entschied ich mich für sieben Blätter und war sehr glücklich. Als ich mich bedankte und verabschiedete, sagte Matisse: »Ich möchte Ihnen eine Mappe leihen, damit die Blätter nicht beschädigt werden. Aber den Karton müssen Sie uns unbedingt zurückbringen, so etwas braucht man immer wieder.«

Bei einem meiner nächsten Besuche sah ich zum ersten Mal die herrlichen Scherenschnitte (ein unglücklicher Ausdruck, aber der offizielle französische Terminus, *papiers découpés*, ist auch nicht treffender) und war auf der Stelle begeistert. »Das freut mich«, sagte Matisse, »daß Sie an diesen Arbeiten Gefallen finden. Stellen Sie sich vor, mein eigener Sohn, der in New York eine große Galerie leitet, lehnt diese Arbeiten ab. Für ihn sind es verzweifelte Versuche eines alten Mannes, eine neue Ausdrucksform zu finden.« Und verbittert fügte er hinzu: »Eine Ausstellung hat er glatt verweigert.«

»Ich würde gern eine Ausstellung mit diesen Arbeiten machen«, sagte ich spontan. Und ebenso spontan stimmte Matisse zu. Ich war überglücklich, aber war ich auch realistisch genug? »Ich komme gern zu Ihnen«, sagte ich, »das ist ein großes Privileg, und ich kaufe auch, soweit Sie es mir erlauben, Zeichnungen von Ihnen. Aber für die Scherenschnitte habe ich wohl nicht genug Geld.«

Matisse, der als kühler Geschäftsmann galt, dachte eine Weile nach, dann sagte er: »Machen Sie sich keine Sorgen, da werden wir kein Problem haben. Ich kenne Sie jetzt, und mir ist auch Ihr Ruf bekannt. Die Arbeiten gebe ich Ihnen in Kommission, und Sie sehen zu, was Sie daraus machen können.«

Die Ausstellung, die ich mit seiner großzügigen Unterstützung 1953 vorbereitete, wurde zu einem der größten Erfolge meiner Galerie. Die wichtigste Arbeit erwarb das Kunstmuseum in Basel. Auch alle anderen Blätter fanden Käufer. Eine der feinsten Arbeiten erwarb Dominique de Menil für ihr schönes Museum in Houston, Texas, ein weiteres Blatt kaufte der kürzlich verstorbene Schweizer Bildhauer Max Bill.

Nur ganz wenige Künstler unserer Zeit haben es geschafft, ihr Gesamt-Œuvre mit einem so starken und eindrucksvollen Schlußakkord abzurunden wie Matisse. 1993, als der internationale Kunstmarkt schon ziemlich angeschlagen war, wurde auf einer Auktion bei Sotheby's in New York ein *cut-out*, wie die Amerikaner Matisses Scherenschnitte nennen, zu dem Rekordpreis von zwölf Millionen Dollar verkauft. Als ein Jahr später die Staatsgalerie in Stuttgart eine Matisse-Retrospektive veranstaltete, wollte man unbedingt ein *papier découpé* erwerben, aber die leuchtenden, großformatigen Arbeiten waren wie vom Erdboden verschluckt.

In meinen Augen haben die Scherenschnitte, die sich an der Grenze zur Abstraktion bewegen, etwas Magisches, das schwer zu definieren ist. Ihre Formensprache ist zutiefst poetisch und zugleich monumental. Ich kann mir vorstellen, daß jemand in einem riesigen weißen Haus lebt, das ganz allein von einem *cut-out* von Matisse erleuchtet wird.

Das Werk würde eine derartige Ausstrahlung entfalten, daß man gar nichts anderes daneben sehen könnte.

In seiner Einleitung zu dem Katalog meiner Scheren-schnitt-Ausstellung schrieb der große Verleger Tériade, ein alter naher Freund von Matisse: »Wie alle, die Matisse in den letzten Jahren unablässig haben arbeiten sehen, glaube ich, daß es sich nicht nur um einen Hauptabschnitt in der Ent-wicklung seines Werkes handelt, sondern auch um eine Umwälzung in der Malerei der letzten Jahre.«

Nach dem Tod von Matisse 1954 gab es eine kurze Peri-ode im Schaffen Picassos, in der viele Zeichnungen stark an Matisse erinnerten. Als einer seiner Freunde zögernd auf diese Ähnlichkeit hinwies, antwortete Picasso, weder belei-digt noch verlegen: »Da haben Sie recht. Aber nachdem Matisse nicht mehr unter uns ist, muß doch ein anderer seine Arbeit fortsetzen, oder?«

Über Jahre haben Picasso und Matisse gegenseitig Bil-der ausgetauscht. Das große orangefarbene *Stilleben mit Früchten* von Matisse aus dem Nachlaß Picassos, das heute im Picasso-Museum in Paris hängt, ist eine eindrucksvolle Huldigung Picassos an den Freund, den er über alles ver-ehrte.

Chalet Esmeralda: Nina Kandinsky

Es gibt Maler, deren Hauptschaffensperiode man als ab-solut genial empfindet, bei denen man aber weder zu dem, was vorangegangen ist, noch zu dem, was folgte, eine en-ge Beziehung entwickeln kann. So geht es mir mit Kan-dinsky. Seine Anfänge in slawisch-östlichem Jugendstil mit stark romantischem Einschlag, seine farbsatten Murnauer Landschaftsdarstellungen, das alles schätze ich als eigenwilligen malerischen Ausdruck, aber mehr sehe ich darin nicht.

Was dann kam, was Kandinskys Freund und Biograph Will Grohmann die »Geniezeit« nennt, also die Spanne von 1910 bis 1914, ist eine künstlerische Phase, für die ich uneingeschränkte Bewunderung empfinde. Viele der Bilder aus diesen Jahren bringen die Abstraktion zu ihrem eindrucksvollsten, reinsten Ausdruck. Es ist ein begnadeter Moment in der Kunst des 20. Jahrhunderts, wie man ihn in dieser konzentrierten und aufrührenden Weise, Picasso ausgenommen, seither nicht mehr erlebt hat.

Alles, was Kandinsky nach dem Ersten Weltkrieg schuf, in seiner Zeit am Bauhaus und in der sogenannten Pariser Epoche, erscheint mir als »angewandte« Abstraktion, als interessantes, vom Intellekt geleitetes Formenspiel, angelehnt an theoretische Begriffe wie Gruppierung, Bewegung, Dominierung. Für mich ist diese Art von abstrakter Kunst der wenig überzeugende Versuch, Abstraktes gegenständlich zu vermitteln.

Persönlich bin ich Kandinsky nie begegnet. Er starb 1944 in Paris, als ich gerade als amerikanischer Soldat nach Europa zurückkam. Ich wußte, daß er jahrelang mit Klee befreundet gewesen war. Sie kannten sich seit ihren Anfängen in Schwabing, wo sie in unmittelbarer Nachbarschaft in der Ainmillerstraße wohnten. In den zwanziger Jahren waren beide Lehrer am Bauhaus, erst in Weimar, dann in Dessau, bevor sie Nazi-Deutschland den Rücken kehrten; Kandinsky ging nach Frankreich, Klee zurück in die Schweiz. Am Bauhaus tauschten sie gelegentlich Werke untereinander aus, und jeweils zu Weihnachten widmeten sie sich gegenseitig ein Aquarell.

Solange Kandinsky lebte, blieb seine Frau Nina, eine russische Offizierstochter, im Hintergrund. Ihrem berühmten Mann vollkommen ergeben, wusch sie ihm, wie es John Richardson schrieb, diskret und bescheiden seine Hemden *und* seine Pinsel. Das änderte sich schlagartig mit Kandinskys Tod. Nina, eine unscheinbare, kleine, fragil wirkende Person mit blauen Porzellanaugen, entwickelte gleichsam über Nacht eine unheimliche Energie. Bis zu ihrem tragischen Tod 1980 in Gstaad war sie die Künstlerwitwe par excellence.

Das Erbe ihres verstorbenen Mannes zu verwalten, wurde Ninas Lebenswerk. Sie tat es mit bemerkenswerter Zielstrebigkeit und Kompetenz. Dabei identifizierte sie sich so stark mit Kandinsky, daß manche ihrer Besucher den Eindruck hatten, nicht er, sondern sie habe die Bilder gemalt, die an den Wänden hingen. Als Nina mit Hilfe eines jungen Kunsthistorikers ihre Memoiren schrieb, wollte sie das Buch »Ich und Kandinsky« nennen. Ich hatte Mühe, ihr klarzumachen, daß »Kandinsky und ich« ein dezenterer Titel wäre.

Nachdem ich in Paris etabliert war, sah ich sie regelmäßig. Sie kam zu vielen meiner Vernissagen und lud mich öfters zum Tee nach Neuilly, einem eleganten Vorort von Paris, wo sie die letzten Jahre mit Kandinsky gelebt hatte.

Von den wichtigen Malern unserer Zeit schätzte sie keinen einzigen wirklich, und sie hielt mit ihrer Meinung nicht zurück. Picasso empfand sie als wild und undiszipliniert, ihren Landsmann Marc Chagall nannte sie abschätzig einen Märchenerzähler. Im Grunde gab es für sie nur einen bedeutenden Maler, und das war Kandiiinsky (sie betonte stark und lang das »i« der zweiten Silbe). Sie sah es als ihre Lebensaufgabe an, ihn vor allen anderen herauszustellen und dafür zu sorgen, daß er überall höchste Anerkennung fand. Dabei vernachlässigte sie keineswegs die materielle Seite. Ein Aquarell oder ein Ölbild des Meisters direkt bei ihr kaufen zu können, betrachtete sie als ein Privileg für den Käufer, und deshalb verlangte sie auch einen höheren Preis als den im Handel üblichen. Ein von ihr ausgestelltes Echtheitszertifikat bekam man kostenlos dazu.

Nina war eine ungewöhnliche Mischung von Naivität und Schlauheit, sie war gutartig und zugleich gerissen. Bei den Klee-Ausstellungen, die ich in meiner Galerie veranstaltete, half sie mir jedesmal großzügig mit Leihgaben. Die Blätter, fast alles Aquarelle, hatte sie ungerahmt unter ihrem Bett versteckt. Sie übergab sie mir, ohne je eine Quittung zu verlangen. »Ich vertraue Ihnen«, sagte sie. »Sie werden damit doch nicht durchbrennen.« Durchbrennen: Sie sprach fließend deutsch und französisch, beides allerdings mit stark russischem Einschlag.

Nina war außergewöhnlich eitel. Eine ihrer Sternstunden war eine Einladung zum Mittagessen bei Staatspräsident Pompidou im Elysee-Palast. Mit dem Kreuz der französischen Ehrenlegion ausgezeichnet zu werden, empfand sie ebenfalls als große Ehre, im Grunde aber beinahe als eine Selbstverständlichkeit.

Zu einer bedeutenden Kandinsky-Retrospektive im Wallraf-Richartz-Museum in Köln war sie als Ehrengast geladen. Zu ihrem Empfang auf dem Flugplatz fanden sich alle Honorationen ein, vom Ministerpräsidenten von Nordrhein-Westfalen bis zum Generaldirektor der Kölner Museen. »Ich hoffe, Sie sind zufrieden«, sagte der städtische Kulturdezernent. »Gewiß doch«, erwiderte Nina und lächelte verschämt. »Aber der Kanzler, Herr Adenauer, wo ist der?«

Noch größer als ihre Eitelkeit freilich war ihre Liebe zu Schmuck, in diesem Punkt war sie geradezu obsessiv. Wenn sie ein Ölbild oder ein Aquarell verkaufte, dann meist nur, weil man ihr irgendwelche Juwelen angeboten hatte, die sie unbedingt haben mußte. Ihr »Hoflieferant« war die in Paris alteingesessene Firma Van Cleef & Arpels am Place Vendôme.

Einmal fuhren wir zufällig im gleichen Zug nach Gstaad. Nur wenige hundert Meter von unserer Ferienwohnung entfernt, besaß Nina dort ein komfortables Chalet. Während der ganzen Reise erzählte sie mir von ihrer Juwelensammlung und von der Zuvorkommenheit und Großzügigkeit ihrer Juweliere. »Van Cleef & Arpels«, sagte sie, »sind meine Familie.«

Im Gepäcknetz lag ein Regenschirm. Ich mußte ihn herunternehmen und aufspannen. Da stand in großen Buchstaben gedruckt: »Van Cleef & Arpels«.

»Ist das nicht reizend?« sagte sie, »ein Weihnachtsgeschenk meiner Freunde.« Zuletzt hatte sie bei Van Cleef & Arpels eine aufwendige Parure erworben, bestehend aus einem Kollier mit einem birnenförmigen Diamanten von zwanzig Karat und allem möglichen kostbaren Beiwerk. Ich fragte mich, mit wie vielen Kandinskys sie dieses Kunstwerk wohl bezahlt haben mochte, enthielt mich aber eines Kommentars.

Unter den Prominenten von Gstaad, von Curd Jürgens bis Gunter Sachs, war Nina überaus beliebt. Sie gehörte zum inneren Kern, heute würde man sagen, sie war sehr *in*. Man schätzte, daß sie sich so eifrig um den Ruhm Kandinskys bemühte, und man schätzte ihre Gastfreundschaft. Ihre Schmucksucht wurde ihr nachgesehen. Es störte auch niemanden, daß bei ihr immer das gleiche Menü serviert wurde: Kaviar, Borschtsch, Bœuf Stroganoff sowie ein schwer verdaulicher russischer Kuchen, das Ganze kräftig mit Wodka berieselt.

Nina wohnte allein in ihrem Chalet. Sie wollte keine Angestellten. Beim Abräumen des Geschirrs mußten alle helfen, ganz gleich, wie prominent einer war. Ich erinnere mich, wie ich einmal neben dem französischen Kulturminister stehend im Abwaschbecken ihrer Küche Tassen und Teller spülte. So war es eben bei Nina, und nicht zufällig nannten alle sie beim Vornamen.

Ninas tragischer Tod im September 1980, nach einem Abendessen bei ihr, zu dem sie Klees Sohn Felix sowie die Witwe von Oskar Schlemmer eingeladen hatte, löste allseits Entsetzen und tiefe Trauer aus. Nina war umgebracht worden, erdrosselt. Dem Täter – man hat ihn seltsamerweise nie gefaßt – ging es nicht um ihre Bilder, keines war angerührt worden, sondern einzig und allein um ihren Schmuck. Ihr Chalet hatte sie, eitel und naiv zugleich, *Esmeralda* benannt, in Anlehnung an ihren Lieblingsedelstein, den Smaragd.

X
»Ich war mein bester Kunde«

Bilder zu betrachten ist
seltsamerweise das einzige, was
mir keinen Überdruß bereitet.
GERTRUDE STEIN

Cézanne, Seurat, van Gogh

»Ich war mein bester Kunde.« Als ich in einem Interview
anläßlich der Ausstellung meiner Sammlung 1988 in Genf
diese Äußerung tat, war ich wohl etwas unvorsichtig gewesen. Von Zeitungen und Magazinen wurde mir der Satz am
Ende wie ein Etikett um den Hals gehängt, mit dem man
meine Erfolge zu erklären meinte. Dabei ist die Aussage gar
nicht falsch. Mein Sammeln begann ganz bescheiden, so
wie auch die Galerie aus bescheidenen Anfängen wuchs,
und über die Jahre wurde es zu einer Passion. Später hatte
ich dann manchmal das Gefühl, die Galerie sei eigentlich
nur ein Vorwand, meine eigene Sammlung weiter auszubauen. Ich entwickelte mich wirklich zu meinem »besten
Kunden«.

Es gab jedoch viele, die mit dieser Interessenverquickung
nicht einverstanden waren. Sie meinten, es sei die Pflicht
eines Händlers, Kunst zu vermitteln und nicht die besten
Stücke für sich zu behalten. Vor allem unter Sammlern
machte sich Unmut breit: Es hätte gar keinen Sinn, sich bei
mir Bilder anzusehen, denn die besten hingen ohnehin bei
mir zu Hause. Diese Vorstellung war für manchen Sammler
nicht akzeptabel, und so wurde ich von dem einen oder anderen durchaus konsequent boykottiert.

Der Verdacht einiger Sammler, ich sei in vielen Fällen ihr ärgster Konkurrent, war anfangs völlig unbegründet, denn die meisten Bilder, die ich verkaufte, hätte ich mir gar nicht leisten können. Erst im Laufe der Zeit nahm ich das eine oder andere Bild, das mich besonders berührte, mit nach Hause, aber nicht, um es unters Bett oder in den Tresor zu legen, sondern um es meiner eigenen, im Aufbau begriffenen Sammlung einzureihen.

Es gab natürlich auch Sammler, denen genau diese Einstellung an mir gefiel. Wenn ich Arbeiten von Klee oder Braque oder Giacometti für mich selbst behielt, dann war das in ihren Augen ein Zeichen dafür, daß ich an diese Künstler glaubte und ihre Arbeiten nicht nur als Ware betrachtete. So wurden durch meine Sammeltätigkeit andere in ihrem Bemühen bestärkt, ebenfalls Bilder dieser Künstler zu erwerben.

Cézanne, Gauguin, van Gogh und Seurat sind, wie ich es sehe, die vier großen Maler, die die Schleusen zur europäischen Kunst des 20. Jahrhunderts öffneten. Ich nenne Cézanne, den Picasso als »den Vater von uns allen« bezeichnete, an erster Stelle, weil weder der Kubismus noch die Wege zur Abstraktion – man denke an Kandinsky und Mondrian – ohne den Meister von Aix vorstellbar sind. Ähnliches gilt für van Gogh und seinen Einfluß auf Fauvismus und deutschen Expressionismus. Bei Gauguin habe ich Mühe, seine Bedeutung für die Moderne zu begreifen. Ich sehe in seiner Malerei zu sehr das Dekorative, Gefällige, eine Sinnlichkeit, die in ihrer Mischung von Exotik und Erotik an der Grenze des Oberflächlichen angesiedelt ist. Auf die *École de Paris* hatte Gauguin gewiß einen starken Einfluß. Aber auch mit deren Werken kann ich nur selten etwas anfangen.

Bleibt Seurat. Unter den Genannten ist er mit Abstand derjenige, um den sich die wenigsten Mythen ranken, und auch in der Gunst des großen Publikums rangiert er nicht an der Spitze. Das mag vor allem daran liegen, daß das Lebenswerk dieses bedeutenden, an keine Richtung gebundenen Künstlers, das in nur zehn Jahren entstand, schwer zu klassifizieren ist. Seurat, der mit 31 Jahren starb, war ein spröder Einzelgänger, und Erfolg war ihm in seinem kurzen Leben nicht beschieden. Sein Pointillismus ist zwar von einer Reihe anderer Maler übernommen worden – allen voran Paul Signac –, aber Seurats eigentliche Bedeutung liegt nicht in der Erfindung der »Pünktchenmalerei«.

Ich kann, was ich meine, am besten mit einer These verdeutlichen. Obwohl ich bezweifle, daß Paul Klee je ein Bild von ihm gesehen hat, scheint mir die unerhörte Sensibilität, die das Werk von Seurat ausstrahlt, bei Klee ihren Widerhall gefunden zu haben. Beide Künstler waren Magier von großer Verhaltenheit, die außerhalb der lauten Strömungen der Kunstszene standen, und diese Geistesverwandtschaft bezeichnet eine der wesentlichen Traditionen der Kunst des 20. Jahrhunderts.

In meinem Ehrgeiz, eine Sammlung aufzubauen, in der die Ursprünge der Kunst unserer Zeit, vor allem von Klee und Picasso, in einigen markanten Beispielen vertreten sein sollten, dachte ich vor allem an Cézanne. Um einen Cézanne zu erwerben, mußte man allerdings schon immer über beträchtliche Mittel verfügen. Als ich zu sammeln begann, konnte man für ein paar hundert Dollar noch ein gutes Aquarell von Klee finden, aber einen Cézanne – das war ausgeschlossen. Wollte ich meinen Ehrgeiz befriedigen, mußte ich auf eine günstige Gelegenheit warten.

Auf einer meiner häufigen Reisen in die Schweiz besuchte ich 1960 in Genf den Händler Max Moos, einen gepflegten Herrn der »alten Schule«. Neben beachtlichen Bildern von Braque, Derain und Vlaminck, gab es in der Sammlung ein Bild, das mich nicht mehr losließ. Bei dem relativ kleinformatigen Gemälde (46×38 cm) handelte es sich um eines der großartigen Porträts, die Cézanne von seiner Frau gemalt hat, ein reiches und zugleich diskretes Werk von geheimnisvoller Innerlichkeit. Für mein Empfinden war das Bildnis der höchste Ausdruck dessen, was ein begnadeter Künstler in das Porträt einer bürgerlichen Frau am Ende des vergangenen Jahrhunderts projizieren konnte. Darüber hinaus war es in Komposition und Farbgebung aufregend »modern«.

Dieses Bild hätte ich über alles gern besessen. Intuitiv, ohne mir Gedanken darüber zu machen, daß ich das Geld wohl kaum aufbringen würde, fragte ich, ob es zu kaufen sei. Monsieur Moos schüttelte ernst den Kopf. Alles sei disponibel, aber der Cézanne niemals. »Er ist die Krönung meiner Sammlung. Ich bedaure sehr.«

»Vielleicht eines Tages«, beharrte ich. »Niemals«, wiederholte Max Moos, und ich verabschiedete mich.

Zwei Jahre später – ich hatte den Cézanne längst verdrängt – besuchte mich Herr Moos in Paris. »Ich bin auf dem Weg nach Amerika«, erzählte er, »um meine Tochter zu besuchen. Da ich ein paar Monate von zu Hause fern sein werde, habe ich meine Sammlung neu versichern lassen. Die Preise steigen ja dauernd.«

Ich hörte höflich zu. »Stellen Sie sich vor«, fuhr Herr Moos fort, und seine Stimme klang leicht erregt, »für den Cézanne, der Ihnen so gefiel, nannte man mir einen Preis, der vollkommen verrückt ist, geradezu absurd.«

»Wieviel?« fragte ich. Plötzlich war ich ganz bei der Sache.

»Eine halbe Million Schweizer Franken.« Wahrscheinlich hatte Herr Moos das Bild viele Jahre zuvor für ein Zehntel der Versicherungssumme oder noch weniger erworben. »Ist das nicht grotesk?«

»Das scheint mir ein sehr hoher Preis«, erwiderte ich, »aber zu diesem Preis« – ich stockte –, »ja, zu diesem Preis würde ich es kaufen.« Ich war sehr aufgeregt.

»Das meinen Sie doch nicht im Ernst?«

»Doch, Herr Moos, das ist mein voller Ernst.«

»Eine halbe Million Schweizer Franken wohlgemerkt, nicht französische Franken.«

»Das habe ich verstanden. Eine halbe Million Schweizer Franken.« Um dem Gespräch die Schwere zu nehmen, fügte ich hinzu: »Eine halbe Million Genfer Franken, wenn Sie wollen.«

Herr Moos wurde nachdenklich. Nach einer Weile sagte er: »Ich werde mit meiner Tochter sprechen. Wenn sie einverstanden ist, schicke ich Ihnen ein Telegramm. Dann gehört das Bild Ihnen.«

Kaum hatte Herr Moos die Galerie verlassen, wurde mir vor lauter Bedenken mulmig. Vielleicht war der Preis wirklich viel zu hoch. Und wo sollte ich das Geld herbekommen? Ich verbrachte schlaflose Nächte und konnte mich auf nichts mehr konzentrieren. War das Porträt von Madame Cézanne bereits in meinen Besitz übergegangen, oder sollte ich doch besser darauf hoffen, daß die Tochter von Herrn Moos dem Verkauf nicht zustimmte? Die Frage beschäftigte mich rund um die Uhr.

Ich konsultierte zwei befreundete Kunsthändler, die mit Cézanne-Preisen besser vertraut waren als ich. Sie waren skeptisch: Das Bild sei zu klein, als daß es den verlangten

Preis rechtfertige. »Lassen Sie sich darauf nicht ein«, rieten sie mir. »Annullieren Sie den Kauf.«

Mein Mut war auf dem Tiefpunkt angelangt. Ich hatte mich viel zu sehr engagiert, um mich noch ehrenhaft zurückziehen zu können, und so vertraute ich darauf, daß das Telegramm ausblieb.

Aber es kam. Es traf am sechsten Tag nach der Abreise ein – Herr Moos war mit dem Schiff gefahren. »GRATULIERE STOP CEZANNE GEHOERT IHNEN«.

Als mich Max Moos bei seiner Rückkehr aus Amerika besuchte, war er freundlich und kulant – ich wagte nicht, zu handeln – und setzte mir großzügige Zahlungsfristen. »Ich will Sie nicht in Bedrängnis bringen«, sagte er, »Sie sind ein mutiger junger Händler. Und Sie haben ja etwas ganz Besonderes erworben.«

Ein paar Jahre später schenkte ich das Bild meiner Frau. Als ihre Leihgabe hängt es heute in der National Gallery in London.

Meinen ersten Cézanne, ein Aquarell aus dem Jahr 1906, dem Todesjahr des Künstlers, hatte ich 1958 auf einer Auktion in London erstanden. Es ist das Porträt seines Gärtners Vallier. Im Genfer Ausstellungskatalog meiner Sammlung beschreibt John Rewald das Blatt als »eines von Cézannes Meisterwerken. Vallier sitzt majestätisch im Freien, frontal, die Hände im Schoß gefaltet. Das dunkle Grün einer reichen Vegetation umgibt die Figur in weißem Hemd und hellen Hosen. Die weißen Stellen werden überwiegend vom Papier selbst geschaffen, belebt von ein paar raschen Bleistiftstrichen, die als skizzenhafte Andeutungen der verschiedenen Formen gedient haben, bevor Cézanne, ohne zu zögern, Farben in breiten Strichen auftrug«.

Ein glücklicher Zufall wollte es, daß ich kurz nach dem Erwerb dieses späten Aquarells bei einer Versteigerung in Paris einen Brief von Cézanne erwarb, in dem der alte Maler von seinem treuen Gärtner Vallier spricht. Der Brief ist an seinen Sohn Paul gerichtet und zeugt von tiefer Menschlichkeit:

> »Mein lieber Paul, Gestern erhielt ich Deinen guten Brief mit Euren Nachrichten. Ich bedaure so sehr den Zustand, in dem sich Deine Mutter befindet, kümmere Dich, so gut Du kannst, um sie, gib ihr den bestmöglichen Komfort, Frische und Ablenkung, den Umständen entsprechend... Vallier massiert mich, meinen Nieren geht es etwas besser, Madame Brémond [Cézannes Haushälterin] meint, daß sich mein Fuß verbessert. Ich befolge die Kur von Boissy, das ist grauenhaft. Ab acht Uhr morgens ist das Wetter unerträglich. Die beiden Bilder, von denen Du mir Photographien geschickt hast, sind nicht von mir. Ich umarme Euch beide von ganzem Herzen.
>
> Dein alter Vater Paul Cézanne.«

Wie man sieht, kursierten anscheinend schon zu Cézannes Lebzeiten Fälschungen seiner Bilder.

Es sind Glücksmomente im Leben eines Sammlers, wenn sich auf unvorhergesehene Weise plötzlich das eine zum andern fügt wie dieser Brief zu dem von mir erworbenen Aquarell. Und daß ich mich zwei Jahre später beim Anblick jenes Porträts im Besitz von Max Moos zumindest unterbewußt an den sorgenvollen Brief Cézannes erinnerte, will ich nicht ausschließen. Aus welchem Grund hätte ich sonst die kühne Frage stellen sollen, ob das Bild zu erwerben sei. Oder hatte ich geahnt, daß das Porträt von Madame Cézanne aus glücklicheren Tagen irgendwann einmal mir gehören würde?

Erste Bekanntschaft mit Seurat machte ich 1959 in London bei Arthur Kaufmann, einem deutschen Emigranten, dessen Sohn Michael später Direktor des Courtauld-Instituts wurde. Kaufmann zeigte mir eine typische Crayon-Conté-Zeichnung, die Brücke von Courbevoie in der Nähe von Paris darstellend. Er verlangte 9000 Dollar – Seurat-Zeichnungen dieser Qualität werden gegenwärtig zum Hundertfachen gehandelt –, und ich kaufte das Blatt begeistert. Es war der Anfang meiner Seurat-Sammlung.

Georges Seurat ist ohne Zweifel ein Solitär unter den Malern am Ende des letzten Jahrhunderts. Meine Bewunderung für ihn wuchs beständig über die Jahre. Hauptwerke wie *La Baignade* in der National Gallery in London oder das berühmte *Un dimanche d'été à l'Île de la Grande-Jatte*, für das ich eigens nach Chicago reiste, beeindrucken mich wie wenige andere Bilder aus dieser Zeit. Die umfassende Seurat-Retrospektive, die 1991 erst im Grand Palais in Paris und dann in New York gezeigt wurde, gehört für mich, trotz einiger wesentlicher Lücken, zu den schönsten Ausstellungen, die ich je gesehen habe.

1970 wurde bei Christie's die kleine luminöse Version der *Poseuses* von Seurat aus dem Jahre 1888 versteigert, für mich eines der bedeutendsten Bilder des 19. Jahrhunderts (die große, etwas trocken wirkende Fassung hängt in der Barnes Foundation in Merion, Pennsylvania). An der Versteigerung in London nahm ich nicht teil. Ich hätte das kostbare Werk brennend gern erworben, aber ich wußte, daß ich keine Chance, genauer gesagt, nicht die nötigen Mittel hatte. Das Werk wurde zu einem eher enttäuschenden Preis – astronomische Höhen erreichten die Preise erst zehn Jahre später – von der Kunsthandelsfirma Artemis ersteigert, einer Gründung des Barons Léon Lambert in Brüssel.

Zu meiner Überraschung und wohl auch zur Überraschung der neuen Besitzer blieb das Bild – ohne Zweifel das wichtigste Gemälde auf dem internationalen Kunstmarkt – über ein Jahr lang unverkauft. Ich fuhr nach Brüssel, um mit Baron Lambert zu verhandeln. Léon Lambert, selber ein passionierter Sammler, hatte Verständnis für meinen Wunsch, dieses Juwel der modernen Kunst, das in seiner Radikalität mit jedem Picasso, jedem Braque, jedem Klee mithält, zu besitzen. Aber zu realisieren war dieser Wunsch nur, wenn ich mich auf einen Tausch einließ. Ein Tausch war für beide Seiten interessant.

Außer einem Geldbetrag und einer Van-Gogh-Zeichnung, die ich einmal günstig erworben hatte, bot ich Baron Lambert zwei wichtige Bilder von Picasso: ein Porträt aus der frühkubistischen Zeit sowie ein großformatiges Stilleben von 1919, von dem ich mich nur schweren Herzens trennte. Manche Bilder sind jedoch wie Volksstämme, sie wandern, und zwanzig Jahre später konnte ich auf einer Versteigerung in New York den Picasso von 1919 zurückkaufen.

Durch Tausch gelangte ich 1988 auch in den Besitz eines van Gogh. Schon seit längerem hatte ich den Wunsch gehabt, ein wichtiges Bild dieses großen Malers zu erwerben, aber in dem durch die Japaner in den achtziger Jahren ausgelösten Boom waren die Preise für seine Bilder ins Unermeßliche gestiegen. Im Jahre 1990 erzielte sein magisches Porträt des Dr. Gachet in New York über 70 Millionen Dollar. Man sprach davon, daß der nächste bedeutende van Gogh möglicherweise die 100-Millionen-Dollar-Grenze überspringen würde. Es war die heiße Phase der völlig ungezügelten Preise; der Kunstmarkt wurde überrannt von

scharf kalkulierenden und zugleich hysterischen Speku-
lanten, die im Bilderhandel eine Art neuer Börse sahen.
Erst als die Japaner Anfang der neunziger Jahre von heute
auf morgen vollkommen rücksichtslos aus dem Bilderge-
schäft wieder ausstiegen, beruhigte sich der Markt.

Ein mit mir befreundeter kenntnisreicher Händler in
New York hatte aus einer prominenten südamerikanischen
Sammlung ein bedeutendes Bild erworben, das van Gogh
1888 in Arles gemalt hatte. Das Bild, *Der öffentliche Garten*,
war vor dem Krieg Bestandteil großer Sammlungen in
Deutschland gewesen und hatte unter anderem Cassirer
und Paul von Mendelssohn-Bartholdy in Berlin gehört.

Der Schätzpreis eines van Gogh dieser Qualität war
schwindelerregend. Mein Freund war jedoch bereit, mir
das Gemälde im Tausch zu überlassen, und das war eine
große Versuchung. Da ich mich von keinem Picasso
trennen wollte, kamen zum Schluß nur Bilder von Matisse
in Frage. Ich besaß insgesamt acht. Sie herzugeben war ein
schwerer Entschluß. Aber da ich mir im klaren darüber
war, daß ich mit aller Wahrscheinlichkeit nie wieder zu
einem wichtigen van Gogh kommen würde, willigte ich in
den Tausch ein.

Hatte ich recht gehandelt? Oder hatte ich einen Fehler
begangen? Ich liebe Matisse, für mich ist er der bedeutendste französische Künstler unserer Zeit. In den kommenden
Jahren versuchte ich immer wieder, Werke von ihm zu erwerben – vergebens. Meine Sammlung hat keinen Matisse
mehr. Aber sie enthält einen wunderschönen van Gogh.

Und immer wieder Picasso

1957, an einem ruhigen Tag im Herbst, öffnete sich die Tür meiner Galerie, und herein trat ein älterer Herr mit einem Paket unter dem Arm. Er besitze ein Bild von Picasso, das er mir gern zeigen wolle. Vor kurzem habe er eine Ausstellung von Picasso-Zeichnungen bei mir gesehen – es waren die Blätter aus der Sammlung von Gertrude Stein – und das habe ihn veranlaßt, zu mir zu kommen.

Wir gingen in mein Büro, und ich sah mir das Bild an. Es war etwas ganz Aufregendes: eine stark farbige, voll ausgeführte Vorstudie in Öl zu dem Schlüsselbild des Kubismus, *Les Demoiselles d'Avignon*. Dargestellt ist die ganz rechts stehende Figur der endgültigen Fassung. Das 81 × 60 cm große Bild erinnert in seiner ungezügelten, schäumenden Wildheit und seiner geschnitzten Härte zwangsläufig an die Formensprache der primitiven afrikanischen Skulpturen, die Picasso zur Zeit der Entstehung des Bildes im Anthropologischen Museum beim Trocadéro für sich entdeckt hatte.

Der Besitzer des Bildes erzählte mir, daß er Direktor einer Fabrik für Ölfarben gewesen war und Picasso während des Krieges mit den gesuchten Rohmaterialien beliefert hatte. Picasso, dankbar für das Entgegenkommen, gab ihm im Tausch gelegentlich eine Zeichnung oder auch ein Ölbild. Ob das Bild, das der Besucher mir anbot, zu den Tauschobjekten gehörte, war nicht klar, aber das kümmerte mich wenig. Erstens war die Geschichte des pensionierten Direktors viel zu schön, als daß ich ihr in allen Details auf den Grund hätte gehen wollen, und zweitens war das Bild selbst atemberaubend. Ich setzte alles daran, es zu erwerben, und ohne Zweifel gehört es heute zu den zehn wichtigsten Gemälden meiner Sammlung.

Der Kauf des Bildes machte mich um so glücklicher, als ich kurz zuvor eine im Geist ähnliche, wenn auch sehr viel gedämpftere großformatige Gouache zu dem gleichen Thema und aus dem gleichen Jahr, 1907, erwerben konnte. Ich hatte sie von Christian Zervos gekauft, dem Kunsthistoriker, der ganz in der Nähe meiner Galerie, in der rue du Bac, wohnte. Zervos, ein Grieche, der als junger Mensch nach Paris gekommen war, schrieb grundlegende Bücher über die Kunst in Vorderasien. Gleichzeitig war er – und dies seit 1926 – Herausgeber der *Cahiers d'Art*, der wohl bedeutendsten Zeitschrift für moderne Kunst in der ersten Hälfte unseres Jahrhunderts. Nicht zuletzt edierte Zervos das monumentale Werkverzeichnis von Picasso, das nicht weniger als 33 Bände umfaßt – und dennoch unvollständig geblieben ist.

Zervos war ein brillanter Autor und ein begnadeter Verleger, aber er war kein Geschäftsmann und deshalb ständig in Geldnöten. Picasso half ihm auf ähnliche Weise, wie er auch Eluard oder Prévert half, indem er sie durch Bildgeschenke unterstützte. Wenn die Gläubiger an Zervos' Tür klopften, klopfte Zervos kurz darauf an meine Tür und bot mir etwas Besonderes und Reizvolles an – meist von Picasso.

Die Gouache, die ich 1957 bei Zervos erstand, stellt die Büste eines Matrosen dar, der sich eine Zigarette rollt. Sie gehört wie der dramatisch-expressive Kopf, den ich wenig später erwarb, zu den Vorarbeiten der *Demoiselles d'Avignon*. In der endgültigen Fassung ist der Matrose verschwunden. Das Bild zeigt nur fünf Frauengestalten. Ich gäbe viel darum, zu wissen, weshalb Picasso den Matrosen mit seinen kraftvollen herben Zügen am Ende aus den *Demoiselles d'Avignon* verbannte.

Es gibt viele sogenannte Sammlungen, die eigentlich nur ein Sammelsurium darstellen, eine arbiträre Anhäufung prominenter Namen und Signaturen. Ein später Utrillo hängt neben einem Miró aus den dreißiger Jahren, an einer anderen Wand liegt eine Odaliske von Matisse neben einem in Blumen gebetteten Liebespaar von Chagall. Das Avantgardistische der Sammlung wird möglichst durch ein Kandinsky-Aquarell belegt. Die Amerikaner nennen eine so geschmäcklerische Auswahl selbstironisch *Park Avenue Collection*.

Ein Überblick über die moderne Kunst ist nur dann wirklich überzeugend, wenn es sich durchweg um Spitzenwerke handelt. Eine solche Sammlung aufzubauen, ist ein schwieriges Unterfangen. Werner Schmalenbach, dem langjährigen Direktor der Kunstsammlung Nordrhein-Westfalen, ist das in einmaliger Weise gelungen. Das Museum, das er nach dem Krieg in Düsseldorf gründete, ist heute ohne Zweifel der Ort in Deutschland, an dem sich die klassische Moderne in ihrer ganzen Breite und in hervorragenden Einzelstücken am besten verfolgen läßt.

Mir ging es um etwas anderes. Ich wollte Werke der Künstler sammeln, die ich am meisten schätzte, an vorderster Stelle Picasso und Klee.

Bei Picasso hatte ich, wie berichtet, gleich am Anfang das Glück, einen Guß der *Fernande* von 1909 zu erstehen. Die zweite wichtige Plastik Picassos aus seiner kubistischen Epoche, das berühmte *Absinthglas* von 1914, von dem es nur sechs Exemplare gibt, jedes vom Künstler handkoloriert, konnte ich erwerben, weil Alexandre Rosenberg, der Sohn des Kunsthändlers Paul Rosenberg, der zwischen den Weltkriegen Picassos Händler gewesen war, beschlossen hatte, sich ein neues Segelboot zuzulegen. Ich selbst konnte mich nie für das Segeln begeistern, aber ich bestärkte Alexandre Rosenberg, sich seinen Wunsch zu erfüllen, und so kam ich zu meinem *Absinthglas*. Unsere Transaktion im Jahre 1958 war eine Angelegenheit von rund 15 000 DM. 25 Jahre später wurde der Guß aus der Sammlung Henry Fords für 2,5 Millionen Dollar verkauft. Was wohl aus Alexandre Rosenbergs Segelboot geworden ist?

Der Dichter Max Jacob nannte die Zeit um 1910 »die heroische Epoche des Kubismus«, und für mich verkörperte sich dieser Geist nirgendwo besser als in den großformatigen Porträts, die Picasso damals von einigen der ihm Nahestehenden machte. Ich denke an das herrliche Bildnis von Kahnweiler im Art Institute in Chicago, in dem er weiterleben wird, wenn sein Ruhm längst verblaßt ist. Ich denke an die Darstellung von Ambroise Vollard im Puschkin-Museum oder an das Porträt Wilhelm Uhdes.

Wie Kahnweiler, dessen Freund er wurde, war Uhde in jungen Jahren nach Paris gekommen; er schrieb, sammelte und betrieb im Umkreis Picassos einen bescheidenen Kunsthandel. Später veröffentlichte er unter dem unglücklichen Titel *Von Bismarck bis Picasso* seine Erinnerungen. Lange Zeit trug ich mich mit der Hoffnung, das Porträt Uhdes eines Tages erwerben zu können. Doch dieser Wunsch sollte sich nicht erfüllen. Das Bild gehörte dem englischen Surrealisten, Sammler und Schriftsteller Roland Penrose, der es in den späten sechziger Jahren dem Zeitungsmagnaten von St. Louis, Joseph Pulitzer, verkaufte.

Mehr Glück hatte ich mit dem vierten und letzten Freundesporträt Picassos aus der Zeit des analytischen Kubismus, dem Bildnis Georges Braques. Das Werk befand sich ursprünglich im Besitz von Frank Crowninshield, dem

Herausgeber der eleganten Vorkriegszeitschrift *Vanity Fair*, und wurde nach dessen Tod 1943 von einem New Yorker Sammler ersteigert. Vierzig Jahre mußte ich warten, dann konnte ich es, dank der Vermittlung des mir befreundeten Kunsthändlers Eugene Thaw, erwerben.

Das Bild ist in der Picasso-Literatur immer wieder veröffentlicht worden, zum ersten Mal 1928. Bei mancher Wiedergabe steht hinter dem Titel in Klammern ein Fragezeichen. Handelt es sich möglicherweise nicht um das Porträt von Braque, sondern um einen anderen Zeitgenossen? Frage: Ist es denn, vom ikonographischen Interesse abgesehen, von Belang, ob der Porträtierte Braque darstellt oder nicht?

Picasso, so wird berichtet, habe die Frage eines Journalisten, ob es sich nun um Braque handele oder nicht, in schelmischer Weise beantwortet: »Braque? Schon möglich, mag sein. Wenn Sie schreiben wollen, es ist ein Porträt von Braque, dann schreiben Sie es. Ich habe nichts dagegen.«

Die Literatur über Picasso und sein Werk ist schier unermeßlich. Kein anderer Künstler ist in einem solchen Maße kunsthistorischen Analysen unterzogen worden wie der große Spanier. Dennoch scheint mir eine wesentliche Publikation zu fehlen, die mit Fug eine Sonderstellung einnehmen sollte, nämlich eine streng am Werk orientierte biographische Darstellung seines Lebens.

Es gibt keine Periode in Picassos Vita, die er nicht intensiv in seinem Œuvre festgehalten hätte. Stenographisch, aber oft auch weit ausholend hat Picasso in Zeichnungen, Bildern und Skulpturen alles registriert, was ihm von den ersten Anfängen an bis ins hohe Alter als Einundneunzigjähriger widerfahren ist. Von der Fernande der blauen

Epoche bis zu Jacqueline, seiner letzten Gefährtin, betrifft das alle Frauen, die in seinem Leben eine Rolle spielten, aber auch alle Künstler- und Dichterfreunde (Max Jacob, Strawinsky, Paul Eluard) sowie alle bedeutenden Händler (Vollard, Kahnweiler, Rosenberg), mit denen er über Jahre hinaus engen Kontakt hatte.

Seine Selbstdarstellung schließt die diversen Landschaften ein, in denen er lebte, aber auch die politischen Ereignisse, mit denen er sich auseinandersetzte; man denke an den Koreakrieg oder an die Guernica-Tragödie, der er eines seiner großartigen zentralen Werke widmete.

In seiner Vielfalt und seinem Reichtum ist das Œuvre Picassos die aufregendste autobiographische Darstellung, die uns je ein großer Künstler hinterlassen hat. Regisseur und Hauptdarsteller zugleich, hat er selber den Film seines Lebens gedreht, so unbarmherzig realistisch und poetisch zugleich, wie es nur ihm gelingen konnte.

Während meiner Tätigkeit als Händler hatte ich die Vervollständigung, Bereicherung und Vertiefung meiner Picasso-Sammlung immer vor Augen – im wörtlichen Sinn. Anders gewendet: Dreißig Jahre lang gingen die herrlichsten Picassos über meinen Tisch, und oft genug stand ich vor der Frage, ob ich eine Zeichnung, ein Aquarell, ein Gemälde verkaufen oder behalten sollte. Nach welchen Kriterien betrieb ich den Ausbau meiner Sammlung?

Bei meinen Überlegungen spielte natürlich immer auch die Frage der Echtheit eine Rolle. 1954 – ich war seit wenigen Jahren in der rue de l'Université etabliert – brachte mir ein befreundeter Buchhändler vom Montparnasse ein exquisites kleinformatiges (23,5 × 14,5 cm) *papier collé* von Picasso aus der berühmten Sammlung der Vicomtesse Marie-

Laure de Noailles. Die Gräfin hatte seit langem eine Liaison mit dem genialisch undisziplinierten Maler Oscar Dominguez, der, was ganz Paris wußte, dem Kollegen Victor Brauner bei einer Prügelei ein Auge ausgeschlagen hatte.

Dominguez war überall verschuldet und brauchte ständig Geld. Das Blatt, das er mir über den Buchhändler für einen Pappenstiel verkaufte, war, so behauptete er, ein Geschenk seiner Geliebten. Es gehörte zu der Gruppe von Klebebildern von 1914, deren immer gleiche Elemente – Weinglas, Würfel, Spielkarten, Gitarre und Klarinette – frappierende Trompe-l'œils bilden.

Ich war glücklich über diese Bereicherung meiner beginnenden Picasso-Kollektion. Ein Jahr später, bei einem Besuch in New York, traf mich in der Privatsammlung des Kunsthändlers Klaus Perls fast der Schlag: Dort hing »mein« *papier collé*, genau das gleiche Bild. Perls, der ebenso beunruhigt war wie ich, erzählte, er habe das Bildchen erst kürzlich, bei seinem letzten Paris-Aufenthalt erworben. Es sei im Werkverzeichnis von Zervos abgebildet, mit Provenienz Vicomtesse M.-L. de Noailles, und von dieser habe er es gekauft. An der Echtheit seines Blattes gäbe es mithin keinen Zweifel. Bei seinem nächsten Parisbesuch werde er das Bild jedoch mitbringen, damit wir die beiden Arbeiten vergleichen und Klarheit schaffen könnten.

Die Wahrheit war: Dominguez, der für seine genialen Kopien bekannt war – Spezialität Picasso –, hatte eines Abends im Haus seiner Geliebten das Original abgehängt, mitgenommen, über Nacht eine Kopie angefertigt und diese am nächsten Tag diskret am alten Platz aufgehängt. Niemand hatte etwas bemerkt. Ein paar Wochen später meinte Dominguez dann, das Blatt sei einfach nicht bedeu-

Picasso. Der gelbe Pullover. 1939

Picasso. Bildnis Jaime Sabartés. 1904

Picasso. Harlekin. 1905

Picasso. Kopf eines Fauns. 1937

tend genug für die Sammlung seiner Geliebten. Das war es ja wirklich nicht in der gefälschten Fassung. Und so verkaufte Madame de Noailles guten Glaubens diesen »Picasso« aus der Werkstatt von Dominguez über den amerikanischen Schriftsteller James Lord an Klaus Perls.

Ich erzähle diese verrückte Geschichte so ausführlich, weil ich mich oft gefragt habe, ob ich genau wie Klaus Perls auf die Provenienz vertrauend auch die Kopie gekauft hätte. Die Hauptdarsteller in diesem Fall waren ein wilder Künstler aus Südamerika, ein Mitglied des französischen Hochadels – Marie-Laure war mütterlicherseits eine Nachfahrin des Marquis de Sade – und ein amerikanischer Kunsthändler von hoher Reputation. Dies alles schützt nicht vor Betrug und zeigt nur um so klarer, mit welcher Umsicht, mit welcher Vorsicht man bei jedem Bilderkauf vorgehen muß. Fallen sind in der Kunstszene überall gestellt. Vier Standardfloskeln sollte man grundsätzlich mißtrauen:

a) Dieses Werk war seit Generationen im Besitz derselben Familie,

b) als dieses Bild vor vierzig Jahren erworben wurde, war der Maler noch völlig unbekannt, und niemandem wäre es damals in den Sinn gekommen, eine Fälschung anzufertigen,

c) die Echtheit wird durch Zertifikate prominenter Experten bestätigt (wobei man es unterläßt, mitzuteilen, daß die Zertifikate oft ebenfalls Fälschungen sind),

d) dieses Bild kommt nachweislich aus der berühmten Sammlung von NN (selbst wenn es so ist, garantiert niemand, daß der berühmte Sammler NN sich nicht gelegentlich auch hat hereinlegen lassen).

Die Liste der Kunstfallen könnte mühelos erweitert werden, aber ich will lieber von den echten Werken erzählen, deren Geschichte oft noch viel aufregender ist als die der Fälschungen.

Picasso war befreundet mit einer großen Sammlerin, der Frau des französischen Senators Cuttoli, die viele Monate des Jahres in ihrer Villa in der Nähe von Picasso in Antibes verbrachte. Madame Cuttoli lieh Picasso gelegentlich ihren Wagen mitsamt Chauffeur, und Picasso, großzügig wie so oft, schenkte dem Chauffeur eines Tages ein kräftig gearbeitetes, farbstarkes Pastell, das, ganz im Stil der schönen Minotaurus-Serie, den Kopf eines Fauns darstellt. Trotz ihrer geringen Ausmaße (27 × 21 cm) vermittelt die Zeichnung aufgrund der Intensität der Komposition den Eindruck eines großen Bildes. Das Blatt gehört heute zu den populärsten Arbeiten meiner Sammlung. Unter den Postkarten, die von meinen Bildern verkauft werden, ist der Faunskopf ein Bestseller.

Als ich Picasso vom Erwerb des Blattes erzählte, lachte er und sagte:»Das finde ich großartig. Sie haben dem Fahrer sicher viel Geld bezahlt. Jetzt kann er sich bestimmt selber einen Fahrer leisten.«

Ich blieb beharrlich, und mein Picasso-Konvolut wuchs. Aber es gab schmerzliche Lücken. 1965 erfuhr ich, daß der italienische Sammler Frua di Angeli seinem Freund und Berater Christian Zervos ein wichtiges Picasso-Bild von 1911/ 12 zum Verkauf übergeben hatte, *Stilleben mit dem Flügel*. Ich ging sofort zu Zervos, aber ich kam zu spät. Di Angeli war unruhig geworden und hatte Zervos beauftragt, das Bild nach New York zu bringen. Aufgrund des wachsenden Interesses der Amerikaner am Kubismus hoffte er, das Bild dort schneller und wohl auch besser verkaufen zu können.

Meine Besessenheit als Sammler war inzwischen so stark, daß ich mich entschloß, dem Bild nachzureisen. Würde ich es finden? Wäre es noch frei? Würde ich es so lieben, wie ich es mir aufgrund von Abbildungen vorstellte? Was sollte der Preis sein? Fragen über Fragen. Dann stand ich lange vor dem Bild und kaufte es. Mit diesem Erwerb, das wußte ich, hatte ich meiner Sammlung den wichtigsten Baustein hinzugefügt: Mein *Musée imaginaire* nahm konkrete Formen an.

Das großformatige *Stilleben mit dem Flügel* (50×130 cm) ist zweifellos ein zentrales Werk des Kubismus, ein optisches Bravourstück, das das gesamte Vokabular des Kubismus enthält. Kerzenhalter, Absinthglas, Würfelzucker, Fächer, Metronom, Tabakspfeife, Violine, Klarinette sowie Klaviertasten bilden eine »Visualsymphonie« von unerhörter Dinglichkeit. In seinem *Dictionnaire Picasso* nennt Pierre Daix das Gemälde »eine prächtige Rekapitulation der formellen Anfänge des Kubismus«.

Ganz links, in Schablonen-Druck, malte Picasso die vier Buchstaben CORT, den Anfang des Namens von Alfred Cortot, dem großen Pianisten, mit dem Picasso befreundet war. Ein paar Jahre nach meinem Kauf kam ein junger Mann zu mir in die Galerie und fragte höflich, ob er eine Photographie des Bildes haben könne. Das wäre ein schönes Andenken. Alfred Cortot sei nämlich sein Vater gewesen.

So hat jedes Gemälde die ihm eigene Geschichte. In den meisten Fällen erfährt diese Geschichte freilich nur, wer über Jahre und Jahrzehnte die Geduld aufbringt, den Bildern zuzuhören. Und wer könnte das besser als der Sammler, der das Privileg genießt, mit seinen Bildern zu leben?

Bei zwei wichtigen Auktionen, bei denen Picasso besonders stark vertreten war, konnte ich meine Sammlung um einige bedeutende Stücke erweitern. Die erste fand 1965 in Paris statt. Es handelte sich um die Versteigerung des Nachlasses von André Lefèvre, einem Pariser Sammler, der fast alle seine Bilder exklusiv bei Kahnweiler gekauft hatte. Die Auktion fand in vier Sitzungen statt. Es waren herrliche Bilder dabei, von Braque und Modigliani (das Porträt von Max Jacob, das ich für Schmalenbach in Düsseldorf ersteigerte), von Miró, Léger und – selten in Frankreich – Klee. Der Hauptbestand aber war von Picasso.

Nach dem französischen Gesetz hatte der Staat das Vorkaufsrecht, von dem er auch Gebrauch machte, um einige der schönsten Werke für die staatlichen Museen zu erwerben. Das Gemälde, das ich unbedingt für meine Sammlung ersteigern wollte, fiel glücklicherweise nicht unter den staatlichen Zugriff.

Ma Jolie ist ein Werk aus der spätkubistischen Zeit, oft auch als Rokoko-Kubismus bezeichnet, als Picasso statt der subtilen und strengen Schattierungen von Grau, Beige und Braun wieder stärkere Farben in seine Bilder brachte, Blau, Rot und Grün. Das Gemälde ist von großer Eleganz und beschwingter Heiterkeit. Das war auch dem Thema angemessen, denn *Ma Jolie* ist nichts anderes als eine Liebeserklärung an eine junge Frau, die bis zu ihrem frühen Tod 1915 Picassos Begleiterin war. »Ich liebe sie so sehr«, schrieb Picasso an Kahnweiler, »daß ich ihren Namen auf meine Bilder schreiben werde.«

Die zweite Auktion mit wichtigen Picasso-Beständen fand 1979 in London statt. Es handelte sich um Bilder aus dem Nachlaß des großen Paul Rosenberg, und ich nutzte die Chance, einige der schönsten zu erwerben. Ich denke vor allem an das monumentale Pastell einer sitzenden Frau sich ihre Füße trocknend aus der neoklassischen Epoche von 1921. In diesem, aus der Tradition der europäischen Malerei gewachsenen Bild, dessen Sinnlichkeit mich an gewisse Frauenporträts von Goya und Ingres erinnert, hat der Klassizismus einen Höhepunkt erreicht.

Zwei Jahre zuvor, 1919, malte Picasso die prächtige Gouache *Stilleben vor einem offenen Fenster in Saint-Raphael.* Das Reizvolle an diesem Bild in Blau und Rosa ist das Amalgam von spätkubistischen Formen und einem ausgesprochen klassisch-naturalistischen Gefühl. Es ist das, was ich ein glückliches Bild nennen würde. Auch dieses Werk konnte ich auf der Rosenberg-Versteigerung erwerben.

Und noch ein weiteres Gemälde, gleichsam der Clou meiner Sammlung, wenn ich an die Reaktionen des Publikums denke, stammt von Paul Rosenberg, der es als Picassos Vertreter direkt bei dem Künstler ausgewählt und gekauft hatte. Ich erwarb es bereits 1959 zu einem sehr günstigen Preis (weniger als 100 000 DM). Hätte ich es damals nicht gekauft und wäre es 1979 in London versteigert worden, wäre es wahrscheinlich nie in meinen Besitz gelangt.

Die Rede ist von dem Gemälde *Der gelbe Pullover* von 1939. Für die Ausstellung *Picasso nach Guernica,* die Heiner Bastian und Werner Spies 1992 in der Neuen Nationalgalerie veranstalteten, diente es als eines der Plakatmotive. Was macht den unerhörten Reiz dieses Gemäldes aus? Die Farbgebung, das satte leuchtende Gelb gegen das kalte Grün und Blau des Hutes und der Halskrause? Der hehre und zugleich träumerische Gesichtsausdruck des Modells, der Geliebten Dora Maar, die zugleich Züge ihrer Vorgängerin Marie-Thérèse trägt? Die Erinnerung an *Guernica* in den klauenförmigen Fingern der linken Hand?

Zum weiteren Mal kommt in diesem Bild all das zusammen, was Picassos Reichtum ausmacht. Diesen Reichtum in seiner ganzen Vielfalt ergründen zu können, habe ich mir nie angemaßt. Aber ich habe versucht, durch konsequentes beharrliches Sammeln einen Eindruck vom Kosmos dieses Mannes zu geben, der wie kein anderer das Lebensgefühl eines ganzes Jahrhunderts in sich trug.

Nachwort

Als ich nach fünfunddreißigjähriger intensiver Tätigkeit als
Kunsthändler 1980 beschloß, meine Galerie meinem Mitarbeiter zu überlassen, um mich in Zukunft ausschließlich
meiner Sammlung zu widmen, schien mir dieser Schritt
fast zwangsläufig. Die Galerie war über die Jahre immer
mehr zu einem Vorwand geworden, meine Kollektion zu
erweitern. Ich war froh, die Sorgen und Aufregungen des
täglichen Geschäfts loszuwerden und mich nicht mehr um
Ankauf und Verkauf, Einnahmen und Ausgaben, Gewinn,
Verlust und Spesen kümmern zu müssen. Der kommerzielle Teil des Kunsthandels war mir über die Jahre zur
Routine geworden. Das Jonglieren mit Zahlen und Bilan-
zen betrieb ich zwar mit Erfolg, am Ende aber ohne Enthusiasmus. Es kam der Moment, wo ich mich fragte: Wozu
das alles?

Materieller Erfolg, Reichtum reizte mich wenig. Meine
Frau und ich haben nie das große Leben geführt, unser Stil
war immer »low-key«, es wartete nie ein Chauffeur mit Rolls
Royce vor der Tür. Wir lebten soweit wie möglich unauffäl-
lig; gesellschaftlich zu glänzen, hat uns nie interessiert. Bilder sammeln war meine Leidenschaft, und das stand auf
einem anderen Blatt.

Bevor ich mich aus dem aktiven Kunsthandel zurück-
zog, überlegte ich, ob ich mir das Sammeln eigentlich
würde leisten können, wenn mir die Einkünfte aus der

Galerie fehlten. Es fehlte jedoch plötzlich etwas ganz anderes. Es fehlte der Kontakt mit den Besuchern, die in meine Ausstellung kamen, es fehlte der kreative Anreiz, eine neue Präsentation zu planen und Bilder an die Wände zu projizieren, es fehlte die Anspannung vor einer Vernissage, es fehlte der Gedankenaustausch mit Kritikern, Künstlern und Sammlern. Was ich vermißte war, mit einem Wort, der lebendige Umgang mit Kunst, der sich nur im öffentlichen Raum entfaltet. Ich will nicht so weit gehen, zu behaupten, ich hätte mich mit meinen Bildern plötzlich allein und isoliert gefühlt, aber ich empfand doch eine gewisse Einschränkung. Und mir wurde bewußt, daß Kunstwerke die Öffentlichkeit brauchen, Auseinandersetzung, Rede und Widerrede.

Ich habe mich nie als Mäzen im konventionellen Sinne verstanden. Die großen mäzenatischen Schenkungen unseres Jahrhunderts, von denen insbesondere amerikanische Museen profitierten – ich denke besonders an Paul Mellon, Frick oder Chester Dale –, sind in der Regel dem Wunsch wohlhabender Industrieller oder Bankiers zu verdanken, von der Aura der Unsterblichkeit mitzuprofitieren, die außergewöhnlichen Kunstwerken zu eigen ist.

Das ist keineswegs abschätzig gemeint, im Gegenteil. Ohne die großzügige Unterstützung solcher Mäzene wäre manches Museum nie gebaut, manches Kunstwerk nie der Vergessenheit entrissen worden. Dennoch unterscheidet sich der Mäzen in einem wesentlichen Punkt vom passionierten Sammler. So sehr er auch seine Bilder lieben mag, der Jagdtrieb, die Besessenheit des wahren Sammlers wird immer ein Rätsel bleiben. Der Mäzen kauft Kunst im Hinblick darauf, daß sie repräsentativ ist, der Sammler sammelt Kunstwerke um ihrer selbst willen. Simon de Pury,

In meiner Galerie 1957. An der Wand ein Bild von Léger, hinter mir eine Lampe von Diego Giacometti

Chefauktionator bei Sotheby's, sagte kürzlich in einem Interview: »Sammeln ist eine unheilbare Krankheit. Und es ist keine Geldfrage, ob man an dieser Krankheit leidet oder nicht. Jeder Sammler, der wirklich passioniert ist, geht bis an die Grenzen seiner Möglichkeiten, ob zwischen zehn und hundert Mark oder zwischen zwanzig und dreißig Millionen Dollar.«

Freunde haben mich immer wieder gefragt, wo meine Besessenheit herrührt – und es ist eine Besessenheit, zunächst eine sehr egoistische. Man sammelt für sich selber, man sieht eine Sammlung, ob Briefmarken, Edelsteine oder Kunstwerke, als eine höchst private Sache an, man errichtet gewissermaßen eine Schutzmauer um seine Schätze. Niemand soll Einblick gewinnen, außer bei besonderen, eher seltenen Gelegenheiten. Aber Bilder verlangen nach mehr, sie wollen nicht in unterirdischen Bankverliesen gut klimatisiert an ihrer eigenen Schönheit sterben, sie wollen betrachtet, sie wollen genossen werden, sie wollen Anlaß sein zur Meditation und zur Steigerung des Lebensgefühls.

Die Bilder, die ich besitze, sind alle in meinem Kopf registriert. Ich habe sie wie Erinnerungen gespeichert, ich lebe im Bewußtsein ihrer Existenz. Aber erst die Tatsache, daß sie an einem öffentlichen Ort gezeigt werden, bedeutet für mich, daß sie auch atmen. Durch ihre Beziehung zu Dritten wird eine erhöhte, intensivierte Verbindung auch zu mir geschaffen. Bei den meisten meiner Bilder handelt es sich um Werke, um deren Erwerb ich mich lange bemüht habe. Jetzt gehören sie mir, nicht nur materiell, jetzt sind sie, wie gesagt, in meinem Kopf registriert. Kann es da eine größere Genugtuung geben, als alle, die dies wollen, an ihrer Ausstrahlung teilhaben zu lassen?

1983 schenkte ich meine Klee-Sammlung dem Metropolitan Museum in New York. Über die Umstände habe ich berichtet – und auch darüber, daß ich mit dieser Stiftung bis heute nicht ganz glücklich geworden bin. Wenn die äußeren Bedingungen nicht stimmen, kann sich Kunst im öffentlichen Raum nur schwer behaupten. Um die Bedeutung eines Kunstwerks zu ermessen, benötigen wir den Moment der Einkehr. Deshalb bin ich glücklich, daß meine Sammlung jetzt in Charlottenburg Einzug gehalten hat. Über die Schloßstraße hinweg grüßt Picassos Frau mit dem gelben Pullover die Nofretete im Ägyptischen Museum. Zwischen den beiden liegen über dreitausend Jahre, aber eine innere Beziehung verbindet sie eng über die Zeiten hinweg.

Ich habe meine Erinnerungen *Hauptweg und Nebenwege* genannt. Auf dem Hauptweg durfte ich einige wich-

Unsere Wohnung in Genf. Links hinten der »Gärtner« von Cézanne, an der rechten Wand eine Giacometti-Skulptur und vier Bilder von Picasso

tige Künstler unseres Jahrhunderts begleiten, die Nebenwege brachten mich immer wieder zur Kunst zurück. Von
der Reproduktion des *Mannes mit dem Goldhelm* zu Cézannes Porträt seines *Gärtners Vallier* führte ein weiter Weg.
Diesen Weg bin ich gegangen. Wenn meine Bilder den Besuchern, die in den nächsten Jahren meine Sammlung in Berlin sehen werden, ein wenig von jener Leidenschaft vermitteln, die ich empfand, als ich die Bilder erwarb, und mit der
ich sie jedesmal aufs neue betrachte, dann hat sich der Weg
für alle gelohnt.

Feuilletonbeiträge
in der »Frankfurter Zeitung« 1935/36

Bahnhofsgedanken

Einfahrt

Trat ein Fremder zu einem Berliner und sagte: »Sie sind doch Berliner, Sie wissen also Bescheid. Berlin – sagen Sie mal, wo finde ich das? Am Bahnhof Zoo? Am Anhalter Bahnhof? Am Bahnhof Friedrichstraße? Am Stettiner Bahnhof?« Da sah ihn der Berliner eine Weile kopfschüttelnd an, dann sagte er: »Wat wollnse – wat? Ick vaschteh ümma nur Bahnhof, ejalweg Bahnhof!«

I Anhalter Bahnhof

Als Kinder glaubten wir, der Anhalter Bahnhof heiße Anhalter Bahnhof, weil die Züge dort anhalten. Inzwischen haben wir Geographie-Stunde gehabt.

Wenn man aus der Halle heraustritt, sieht man links das beklemmend moderne Europa-Haus. Wie ein Zeigefinger reckt es sich in den Himmel, als wollte es sagen: »Hör mal zu: Berlin ist nämlich eine Weltstadt!«

Viele Berliner haben das ganze Jahr hindurch tiefe Sehnsucht nach dem häßlich-klobigen Bahnhof mit den großen romanischen Fenstern am Askanischen Platz. Es klingt von diesem Gebäude der Lockruf der Ferne. Wenn man die Treppen zu den Bahnsteigen hinaufgeht, überkommt einen das Gefühl der Fremde, man ist schon nicht mehr in Berlin – München, die Schweiz, Italien, der ganze Süden zieht einen die grauen Stufen empor.

Der Anhalter Bahnhof ist nicht so exklusiv wie der Bahnhof Zoo. Nie wird man am Zoo im Juli ältere Herren in Tiroler Höschen treffen. Der Anhalter ist ein romantischer Bahnhof, einer für Träumer. 10 Pfennige kostet die Bahnsteigkarte. Dafür kann man die ganze Zeit den Perron entlanglaufen und die großen Schlafwagen mit den heruntergelassenen Fensterläden bestaunen. Die Schilder mit den Namen ferner Stationen sind wie Ausweise für die, die dahinter schlafen. Neulich stand einer einsam in dem Gewühl hastender, sich aufgeregt begrüßender und verabschiedender Menschen. Er las in einem Band, in dem Gedichte stehen konnten. Aber – scharf besehen – es war ein Kriminalroman, den der Boy am Perron ausrief. 80 Pfennig das Stück.

II Stettiner Bahnhof

Er ist wie eine große, dumpfe Scheune. Man kommt von dem Gefühl einer Trostlosigkeit nicht frei, wenn man ihn betritt. Er liegt nicht im Zentrum, sondern abseits am Rande, dort, wo die Stadt schon müde wird. Wie hat uns einmal ein Ankömmling gesagt: »Ein Bahnhof für Selbstmörder«. Doch das ist nur die eine Seite. Denn in dem trüben Glasberg geschieht alljährlich das Erfreulichste, was auf einem Bahnhof nur geschehen kann: Großstadtkinder fahren von hier in Sonderzügen, sozusagen in Tausenderpackung, in die Erholungsheime an die Ostsee.

Betritt man kurz nach Ferienbeginn den Stettiner Bahnhof, dann spürt man nichts mehr von seiner Dumpfheit, dann sieht man nur noch die leuchtenden Augen der blassen Kindergesichter, die sich eng aneinandergepreßt aus den Coupéfenstern beugen, um Vater und Mutter Lebewohl zuzurufen. Schmale Arme strecken sich aus, und Taschentücher flattern zwischen den Fingern, und sie winken, wenn es losgeht, winken, winken, bis die Menschen sich umgekehrt haben und der Zug auch davon ist.

III Bahnhof Friedrichstraße

Bahnhof Friedrichstraße ist auch Stadtbahn-Bahnhof. Sicher
der betriebsamste von allen. Neben Büroangestellten und aller
Art Geschäftsleuten sieht man viel akademische Jugend. Die
Universität ist fünf Minuten entfernt.
Vom Fernbahnsteig fahren die großen Ost-West-Züge in
Richtung Warschau und Paris. Bahnhof Friedrichstraße ist
kein Kopfbahnhof wie der Anhalter oder der Stettiner. Nach
beiden Seiten gehen ständig die Expreß-Fernzüge. Auf dem
Perron: viel Ausländer. Wenig Frauen. Reiseschreibmaschi-
nen, Aktentaschen. Strenge Gespräche. Nichts von der Romantik des Anhalter, nichts von der Aristokratie des Zoo –
schneidende, nackte Sachlichkeit, geschäftlich-nüchterner
Ernst – das ist Bahnhof Friedrichstraße. Man sieht selten Menschen mit Taschentüchern an den Zugfenstern. Es fliegen
keine letzten, abgerissenen Worte aus den abfahrenden Zügen
auf den Bahnsteig:»Bleib schön gesund... Schreib recht bald!«
Es heißt:»... ich muß die Wechsel unbedingt bis morgen früh
zur Unterschrift haben...«
Ein heller, sauberer Bahnhof. Wie das Empfangsbüro in
einem chemischen Laboratorium.

IV Potsdamer Bahnhof

Die meisten Bahnhöfe werden interessant, wenn man in ihnen
steht. Beim Potsdamer ist es umgekehrt. Er gehört zu der Kate-
gorie von Bahnhöfen, in denen man Gähnkrämpfe bekommt.
Reisefieber gibt es nicht. Die Menschen laufen wie auf einem
großen Platz, den man täglich überschreiten muß und den
man mit geschlossenen Augen passieren kann, weil man ihn so
genau kennt. Die Gepäckträger, die sich auf andern Bahnhöfen
rudelweise auf uns stürzen, schleichen hier herum, als hätten
sie sich verlaufen. Ein fader Bahnhof, denkt man, und geht hin-

aus, bis man plötzlich Berlin entdeckt, Rummelplatz Berlin, der sich um den Verkehrsturm dreht, bei rot, grün und gelb – und hat ein königliches Gefühl unter dem ziegelsteinernen Thron.

Es ist nicht das Berlin aus der Perspektive des Berliners. Das sieht ganz anders aus. Es ist das Berlin aus der Perspektive des Ankommenden, des Neulings, des »Provinzlers«. Potsdamer Platz mit Verkehrsturm drauf, rechts Haus Vaterland, Wertheim in der Ferne, Mauerwerk, das am Tage plump dasteht und am Abend sich reckt, wenn alle Lichter spielen. Die letzten Pferdedroschken klappern vor den Blumenfrauen, die Stadtplanverkäufer rufen ihre Litanei und unten drehen sich die Wagen. Man kann so stundenlang dastehen und stundenlang zusehen, will sich selber in die Ströme stürzen, – da fällt einem plötzlich ein, daß ja noch das Gepäck abzuholen ist. Und aller Spiegelglanz der Stadt entweicht vor einer seltsamen Bewegung, wenn man dem Gepäckmann das erste Trinkgeld zu zahlen hat.

V Bahnhof Zoo

Mein Lieber, wenn du etwas Apfelwein getrunken hast, rattata, rattata, rattata, und eine endlos lange D-Zug-Strecke fährst, rattata, rattata, rattata, dann kann dir der Bahnhof Zoo in einer Art Vision als das Sinnbild menschlicher Zivilisation erscheinen. Rattata.

Wenn du angelangt bist, brauchst du nur auszusteigen aus dem Zug, den Fahrdamm zu überschreiten, und schon stehst du vor dem Eingang des Zoologischen Gartens. Und wenn du in den letzten Jahren fleißig in den Zoo gegangen bist (und das lohnte sich, mein Lieber!), dann wirst du dich erinnern, daß mit jedem Jahr ein neues Käfiggitter heruntergerissen wurde, daß mit jedem Jahr die »wilden Tiere« mehr Freiheit erhielten. Rattata, rattata, rattata. Und nur ein bißchen, ein kleines bißchen Illusionsfähigkeit brauchst du, um dir einzubilden, daß

Elefanten und Strauße, Eisbären und Gorillas frei herumlaufen, denn – nicht wahr? – es ist ja kein Gitter mehr da. Nur noch
ein schmaler Graben trennt dich von den Tieren, und wer, rattata, wollte dir glaubhaft machen, daß die Tiere nicht mit
einem kleinen Sprung über den Graben setzen könnten?

Aber sie sind zivilisiert, mein Lieber, ja, das ist es, sie fühlen
in ihren Elefanten- und Eisbärhirnen, daß 50 Meter entfernt
der Nordexpreß vorbeisaust, und das flößt ihnen Respekt ein.
Sie sind Europäer geworden, rattata, sie haben sich dem Klima
angepaßt, das da oben auf dem Perron maßgebend ist. Wer
wollte sie daran hindern, eines Nachts auszubrechen und heu-
lend alles zu überrennen, das Eisengitter, das von der Straße
trennt, die Omnibusse auf dem Fahrdamm und die berühmte
Normaluhr unten am Eingang des Bahnhofs?! Wer wollte sie
hindern, mit ihren Pranken in die Scheiben der Speisewagen-
fenster zu schlagen und brüllend alles niederzutrampeln?!

Aber sie rühren sich nicht. Rattata. Nur manchmal, manchmal neigen sie melancholisch die Köpfe und lauschen den
Klängen der Zivilisation in dem Rädergerassel der großen Wagen.

Rattata, rattata, rattata.   *24. Juni 1935*

Die beiden Flüsse

Spree

Berlin ist von der Spree durchflossen, einem kleineren Fluß,
der sich mühselig durch die Stadt drängt von Südosten nach
Nordwesten, und dann stumm in ein anderes Gewässer mün-
det: die Havel.

Über der Spree liegt nicht die Gnade des Flusses, der sich
der großen Stadt zugehörig fühlt. Von Niederschöneweide bis
Spandau bleibt die Spree dumpf und ohne Schimmer. Die

Strahlen der Sonne leuchten nicht auf ihrer Fläche, farblos friert sie zwischen dem Regengrau schmaler Straßen und hoher Häusermauern. Wie ein Weib, das, demütig sein Gewand dicht um den Körper geschlungen, durch nächtliche Straßen huscht, trägt sie ihre Wasser in engem Bett durch die Stadt. Leise ist ihr Schritt, ohne Seufzer.

Die Spree hat etwas vom Kanal, vom künstlich Geschaffenen, von Menschenhand aus dem Boden Gequältem, nicht aus dem drängenden Quell Geborenem. Die Karte lehrt, daß sie bei Ebersbach in Sachsen entspringt.

Schwere, klobige Frachtkähne stoßen zwischen den Asphaltufern voran: Stiefkinder der Lastwagen auf den Straßen. Sie geben dem Fluß etwas Bürgerlich-Kommerzielles, aus der Atmosphäre des schwindsüchtig Schwachen reißen sie ihn in den ernüchternden Alltagsbetrieb. Aber es bleibt die Sehnsucht des Flusses nach Klärung, ja nach Erlösung. Er empfindet sein Schicksal wie der Zwerg, der glaubt, er müsse ein verwunschener Prinz aus dem Märchen sein.

Die Stadt ist der Alpdruck der Spree, jene laute Stadt, von der sie noch nichts ahnte, als sie sanft und schläfrig durch die Lausitz floß. Je mehr sie sich nähert, um so stärker krümmt sie sich zusammen, verengt sie sich, macht sie sich klein. Wie ein abgezehrter Arm greift sie schließlich mit dürren Fingern seitlich durch das Netz Berlins.

Und dennoch: Es fehlt ihr zwar die Anmut, nicht aber die Würde des Verzichts. Ohne Wehklagen, ohne Gepolter, ohne Aufbegehren trägt sie ihre Wasser. Es ist nicht leicht, durch die Jahrhunderte hindurch das Schicksal eines Flusses zu führen, dem es nicht gestattet ist, zu repräsentieren. Denn dies weiß sie: Sie leiht der Stadt keinen Glanz. Sie bereichert sie nicht, sie vertieft nicht das Bewußtsein ihrer Tradition. Die Stadt mit Schloß und Dom, mit Börse und Kaiser-Friedrich-Museum blickt scheel auf sie herab. Erst wenn sie sich der Umklammerung der eiligen Straßen entreißt und in den Charlottenburger Schloßpark zieht, wird sie, aufatmend, breiter, beinahe lieblich.

Es ist nur eine kurze Aufheiterung, die der Fluß vor seinem Ende erlebt. Er geht, kämpfend durch Siemensstadt hindurch, es folgt die Agonie zwischen den Industriewerken, vor Spandau der Tod: einmünden in die Havel.

Ewig vollzieht sich dies gleiche Geschick. In harmloser Bereitschaft setzt es an der böhmischen Grenze ein, in entsagungsvoller Betäubung endet es westlich Berlins. Der Lauf der Spree.

Havel

Die Havel ist ein Sonntagsfluß. Wie eine breite Mauer begrenzt sie Groß-Berlin im Westen. Außen gelegen, ein Adoptivkind der Stadt, ihr doch zugehörig und verbunden. Sie ist die gute Laune Berlins, das Lachen des Berliners, Zuflucht vor Ärger und Unbehagen.

Es gibt in Berlin keine Spree-Gemeinde, wohl aber eine riesige Havel-Gemeinde. Zu ihr gehören alle – und es sind die meisten –, die sich nach »draußen« sehnen, nach frischer Wärme, nach frischer Kühle.

Strahlend flutet sie durch die Mark, als übermütiger Zauberer verwandelt sie jeden Erdfleck, den sie greift, in lockende Helle. Und immer wieder, wie wenn sie nicht genug ihre nasse Fracht zur Schau stellen könnte, verbreitet sie sich in üppige Seen: den Wannsee, den Jungfernsee, den Schwielowsee.

Tausende von Badenden und sich Sonnenden empfängt sie sommers an ihren Gestaden, Tausende von flachen, schnellen Booten trägt sie dann auf ihren spritzigen Wellen in südlicher Richtung davon. Als sollten alle Schmutzwasser der Spree nun wieder leuchtend werden, so verwandeln sie sich auf der Havelseite in einen hellen Spiegel.

Allem gibt die Havel das Gepräge: den Wäldern, den Bergen, dem Land. So heißen sie: Havelwälder, Havelberge, Havelland. Die Havel »trägt« die Landschaft, sie gibt ihr Farbe und Licht, Form und Sinn. Gräser, Bäume, Lauben neigen sich ihr zu. Die Menschen an ihren Ufern warten auf die Tage der ersten Wärmestrahlen, schaukeln in winzigen Paddelbooten, auf fröhlich knatternden Musikdampfern und winken von den Ufern ihr entgegen. *3. Februar 1936*

Die kalten Winde

Der Wannsee geographisch

Jetzt, da der Herbst die kalten Winde den Tagen entblätterter Bäume und künstlich gewärmter Stuben zuträgt, scheint der Wannsee weiter hinaus ins Land gerückt. Eben noch lag er fast in der Stadt: Wochenend Berlins, von unzähligen Booten übersät. Nun ist er vereinsamt zwischen Kiefern und Laub, und der Weg hinaus dünkt weit und beschwert.

Das Strandbad

Noch ist das Strandbad nicht geschlossen. Aber die Autobusse vom Bahnhof Nikolassee sind sonntags nicht mehr überfüllt. An der Kasse braucht man nicht mehr Schlange zu stehen. Die Kontrolleure passen nicht mehr so scharf auf. Die Strandkorbvermieter haben ihre Körbe zusammengeschoben und spielen Skat.

Noch ist der Sand durchwärmt. Aber die Wärme, die er ausstrahlt, ist kühl, sie betäubt nicht mehr, sondern erschreckt.

Die Menschen, die hinauskommen, sind kräftig gebräunt und kräftig gebaut. Die Sommerbadenden sitzen derweilen zu Hause hinterm Radio und hören Wetterbericht und Orchestermusik.

Schwimmen: nicht mehr Erholung von der Glut, Bindestrich zwischen zwei Sonnenbädern, sondern Probe der Körperfestigkeit und Bekenntnis zum Wasser als Element. Kein Taumeln mehr, sonnentrunken durch glitzernde Nässe, spielerisch, verloren, treibend; sondern so schwimmst du: federnd, ein Wikingerschiff, in strengen Stößen vorwärts, die Sehnen gespannt, fest dem Ziele zugewandt.

Es gibt weder Ruhe noch Entspannung, sondern nur Stählung und Training. Und die Männer, die sommersüber unermüdlich durch den kilometerlangen Sand wateten, um Eis zu verkaufen, handeln längst mit heißen Würstchen irgendwo in der Stadt.

Metaphysische Schauer

See und Gestade ohne Musik: kein Orgelton mehr aus einem Schifferklavier. Kein Tschingdara von einer Dampferkapelle. Wenige Boote schwimmen auf dem See. Alle sind sie still, denn jeder Ton wäre ein Herausforderung jetzt.

Wozu Musik? Sind nicht die Blätter, die der Wind zerknittert, sind nicht die Wellen, die die kalten Schaumköpfe tragen, Musik genug? Und wozu das Summen der Mundharmonika und das Gedudel des Akkordeons, die gut waren als Schrittmacher sommerlicher Betäubung? Es ist kein Raum für Kling und Klang. Der Herbst aber singt mit klirrenden Tönen. Zur Kälte hin, zur Starre! Es ist nicht Ruhe hier – aber Stille; in Erde, Wasser und Gestrüpp. Auch der harte Wind zwischen den Zweigen und über dem See, in den geblähten Segeln einsamer Boote – auch er ist: Stille.

Boote zu verkaufen!

An den Bootshäusern hängen neue Schilder:»Boote zu verkaufen!« Es sind die gepfändeten Boote derer, die die Sommermiete für den Stand nicht zahlen konnten. Aber wer kauft zum Winter ein Boot? Wer, wenn es kalt wird, im Januar oder Februar? Dann werden die Gläubiger die schadhaften Boote in

Brennholz zerspalten. Ein Junge geht am beschneiten Ufer entlang, denkt an glucksendes Wasser hinter dem Kiel und Lachen im Boot. Jetzt prasseln die Planken im Ofen.

Dampferfahrt

Ein Dampfboot steuert über den See: von Kladow nach Beelitzhof. Es trägt: den Kapitän, den Gehilfen und drei Fahrgäste: ein junges Paar (gerade erst verlobt, etwas anderes ist ausgeschlossen) und eine junge Dame, die nicht dazugehört.

Der Kapitän denkt: Kein Geschäft das Ganze!

Das junge Paar denkt (beide zugleich): Wie schön so ein Sonntag auf dem Wasser! Und wie wenig Menschen!

Die Dame denkt: Dampferpartien im Herbst sind nicht mehr schicklich. Das war die letzte.

Der Gehilfe denkt gar nicht.

Jetzt hält das Boot an der Zwischenstation: Strandbad Wannsee. Der Gehilfe, der überhaupt nicht denkt, bindet das Boot fest, obwohl keiner aus- und keiner zusteigt. Dann bindet er es wieder los.

Nun fährt das Schiff.

Der Kapitän denkt: Kein Geschäft das Ganze!

Das junge Paar denkt (beide zugleich): Wir werden in Beelitzhof Kaffee trinken.

Die Dame denkt: Ich will mir zum nächsten Sonntag einen billigen Platz für die Philharmonie besorgen.

Der Gehilfe denkt gar nicht.

Beelitzhof. Alles aussteigen!

Die Dame steigt aus.

Das junge Paar steigt aus (beide zugleich),

Der Kapitän wartet auf neue Fahrgäste. (Denkt, wie oben.)

Der Gehilfe spuckt still ins Wasser. (Denkt wie oben.)

16. September 1935

Beiwerk der Stadt

Der Grunewald

Still ist der Grunewald im Winter, wenn Schnee liegt und die Seen nicht gefroren sind, weiter ist er von der Stadt entfernt. Verkehrsmuseum und Nationalgalerie sind an seiner Statt das Ziel der montlichen Schulausflüge. Selterswasserbuden stehen an den Wegkreuzungen vereinsamt, wie Vogelscheuchen auf den Feldern. Die Straßenbahnen, die über die Koenigsallee und den Hohenzollerndamm sich dem Grunewaldrande nähern, sind nie überfüllt.

Nur an Sonntagen, vormittags zwischen zehn und zwei, belebt er sich. Spaziergänger, meist vorgerückten Alters, langsam ausschreitend, mit jedem Schritt das Bild der Landschaft neu gewinnend, begegnen sich an den gleichen Stellen zwischen Paulsborn und Onkel Toms Hütte. Der Grunewald ist ihre *Winterstation*. Sie sind anspruchslose, dankbare Besucher. Sie verlangen von der Landschaft keine Attraktionen, nur Frische und Stille und Helle.

Ist aber Schnee gefallen, oder sind die Wasser zugefroren, der Grunewaldsee, der Teufelssee, die Krumme Lanke, dann strömen die Kinder mit den Müttern und Vätern hinaus, bepackt mit Rodelschlitten und Schlittschuhen und manche auch mit Skiern. Die Hänge sind zwar nicht steil – eigentlich sind es gar keine Hänge, sondern nur sacht abfallende Ebenen – und die Abfahrten sind nicht lang, aber man steht doch auf Brettern, und im Abwärtsgleiten kann man für Sekunden die Augen schließen und sich so manches dabei vorstellen.

Die alten Spaziergänger sind an solchen Sonntagen besonders froh gelaunt. Ihnen scheint es, als wolle die Natur mit dem Massenaufgebot an strahlenden und geröteten Kindergesichtern ihnen im besonderen eine Freude machen. An den Rodelbahnen bleiben sie stehen und nicken den Kindern, die sich mit viel Getöse von ihren kleinen Schlitten abwärts tragen lassen, verständnisvoll und lächelnd zu.

Sehr bürgerlich ist der Grunewald, und er würde eine denkbar schlechte Kulisse für eine romantische Waldoper liefern. Man muß ihn an Wintertagen aufsuchen, wenn der Eindruck nicht verfälscht wird durch den Anblick im Grase schnarchender Ehepaare und weithin verstreuter Zeitungsblätter, um dies zu spüren: daß er weder düster noch lieblich ist, vielmehr nüchtern, bieder, fast profan, keine dithyrambische Hymne, sondern ein sauberes Prosastück –: der Vorgarten des Mietshauses Berlin.

Der Tiergarten

Lange Minuten fährt die S-Bahn durch den Grunewald, aus Wannsee kommend in die Stadt hinein. In 50 Sekunden durchsaust sie den Tiergarten. Viele Stunden kann der Fußgänger im Grunewald laufen, immer nur umgeben von trockenem Land, von hohen schmalen Nadelbäumen, von Seen und Grünflächen – im Tiergarten verliert er nie das Bewußtsein, daß wenige Schritte entfernt Autos und Straßenbahnen und hohe Omnibusse auf ihn, den Städter, warten, damit er sich wieder einordne in das Getriebe. Nie kann der Tiergarten mehr sein als Augenblick des Verweilens, schnelles Atemholen, flüchtige *Durchgangsstation*. Die Menschen gehen nicht in ihm, sondern, kaum sind sie eingetreten, aus ihm heraus. Vom Brandenburger Tor kommend nähern sie sich dem Zoo, vom Zoo kommend dem Brandenburger Tor.

Die Nächte sind kalt in diesen Tagen. Dennoch gibt es welche, die Hand in Hand ihn in der Dunkelheit aufsuchen, fröstelnd, keine Wärme findend und spürend, was sie im Sommer nicht merkten: daß er keine Ruhe gewährt.

Die Jungen, die die Schule schwänzen, laufen oft in den Tiergarten. Mit Büchern in der Mappe und Diskussionsstoffen im Kopf. Nie aber mit dem Wunsch nach dem Tiergarten. Und nie haben sie an dem Tiergarten gehangen, so wie sie am Grunewald hängen. Es ist Undankbarkeit, sie sollten sich schämen. Es ist, als ob sie noch an den Tag denken müßten, da sie bitter enttäuscht nach dem ersten Besuch fragten, warum denn dieser Ort »Tier«-Garten heiße.

Wir wollen gerecht sein. Er ist ein gepflegtes und geräumiges und gut gelüftetes Stück Stadt. Wer Kopfschmerzen hat, der gehe eine Weile auf den kleinen Wegen längs der Charlottenburger Chaussee. Nicht zu lange, er würde sonst entdekken, daß die Wege immer die gleichen sind und die Bänke zu seinen Seiten immer mit der gleichen Farbe angestrichen.

Fermate ist der Grunewald, Fermate der Woche, des Alltags. Pause ist der Tiergarten, Pause zwischen zwei Takten, Pause zwischen Stadt und Stadt.   *6. Januar 1936*

Namenregister

Verzeichnis der Farbtafeln

Soweit nicht anders angegeben, befinden sich die Werke in der Sammlung Berggruen, Berlin-Charlottenburg

Den Freunden Thomas Gaehtgens und Bernd Schultz danke ich für wertvolle Anregungen und Hinweise. Mein ganz besonderer Dank gilt meiner Frau sowie der Kunsthistorikerin Ursula Frohne und meinem Verleger Thomas Karlauf, die mich mit Geduld, Kritik und Kompetenz auf dem Hauptweg und den Nebenwegen dieses Erinnerungsbuches begleitet haben.

Abbildungsnachweis

Juliet Man Ray, Paris, S. 131; UPT/Corbis-Bettmann, New York, S. 62;
André Villers, Mougin, S. 128; alle anderen Abbildungen aus dem
Archiv Heinz Berggruen. © VG Bild-Kunst, Bonn 1996 für: Georges
Braque (Farbteil), Paul Klee (Farbteil), Pablo Picasso (S. 134, 148, 151
sowie Farbteil) und Man Ray (S. 131)

Erste Auflage: September 1996
Zweite Auflage: September 1996
Dritte Auflage: Oktober 1996
Vierte Auflage: Februar 1997

© 1996 Nicolaische Verlagsbuchhandlung
Beuermann GmbH, Berlin
Satz: Offizin Götz Gorissen, Berlin, Druck: Clausen & Bosse, Leck